CAMILLE BOURNIQUEL

SÉLINONTE
OU
LA CHAMBRE IMPÉRIALE

roman

ÉDITIONS DU SEUIL
*27, rue Jacob, Paris VIe*

SÉLINONTE

DU MÊME AUTEUR

AUX MÊMES ÉDITIONS

Le Blé sauvage, 1955
roman

Retour à Cirgue, 1953
roman
Prix du Renouveau français 1953

Irlande, 1955
coll. « Petite Planète »

Chopin, 1957
coll. « Solfèges »

Les Abois, 1957
roman

L'Été des solitudes, 1960
roman

Le Lac, 1964
roman
Plume d'or du Figaro littéraire

La Maison verte, 1966
nouvelles

Les Gardiens, 1969
théâtre

Parfois un simple mot — un nom de ville ou d'impératrice — surgissait des brumes de sa mémoire sans qu'il sût où situer la rencontre première, la surprise ou l'attrait qu'il avait éprouvés devant cet étrange amalgame de sons destinés à rester enfouis des jours et des jours dans sa tête avant de reparaître soudain, impérieux, lourd de sens caché, promulgant sa loi souterraine, une confondante vérité, et entraînant à sa suite tout un mouvement intérieur dont bientôt il ne se sentirait plus le maître. Ah! pourquoi ce matin-là dans la demi-obscurité de notre cabane, de notre igloo (que, depuis, une escadre de bulldozers est venue effacer de cette rive par souci de salubrité, de décence, pour chasser du district les squatters, hippies et autres indésirables) pourquoi ce nom : *Sélinonte* provoquait-il en lui ce choc de tout l'être? Allait-il se réveiller définitivement et rentrer tout à coup dans sa peau, reprendre la route et se jeter de nouveau dans la lutte? Ou bien... ou bien cette soudaine turbulence verbale, cette remontée d'images ne faisaient-elles que l'enfermer plus profondément dans son refus et cette volonté opiniâtre d'effacer des traces qui n'avaient jamais pu être les siennes?...

Le grand gel de la nuit avait saisi d'un seul tenant toute la profondeur de la crique, immobilisant les ressacs dans une colère inerte. Mais il était à mille lieues de notre hiver, de ces craquements dans la glace, de cette poussière emportée par le vent au-dessus des rapides, et à vingt miles de là, relevée en panache au-dessus des chutes. A une distance au moins égale de cette Amérique des grands lacs qu'il ne pouvait qu'ignorer et qui se réduisait sous ses yeux à ces arpents de banquise où les blizzards se livraient des poursuites épiques.

Cette blancheur crépusculaire était tout au plus un écran, à en juger par le temps qu'il passait là devant cette ouverture ménagée entre les rondins. Il échappait à cet hiver, même lorsque la neige chassée en rafales sauvages sur toute la surface par le vent du canyon venait bloquer toutes les issues. Il échappait à cette solitude, à cette immense désolation, même au cours de ces nuits interminables où le froid régnant en maître dans la baraque recouvrait les objets et nos couvertures d'un impalpable duvet.

Tout le jour il se tenait là, sans proférer une parole, se déplaçant le moins possible. A travers la vitre givrée son regard semblait guetter des transhumances bibliques, des passages de cavaliers scythes, ou de soudaines mêlées signalées par l'éclat mat des armures. La neige nous enfermait de toutes parts. Plus aucun chemin n'était reconnaissable jusqu'au Johnson's, en bordure du *highway*. Le lait gelait dans le récipient de carton, l'huile dans les bidons. Pas d'autre eau pour notre usage (le thé et de très locales ablutions) que celle obtenue en faisant fondre les stalactites arrachées à la bordure du toit. Bien entendu, rien de tout cela ne le concernait. Rien de tout cela ne pouvait avoir de prise sur une volonté aussi résolument soustraite aux réalités proches, aussi délestée de tout contact avec le monde extérieur. Peut-être vivait-il réellement sur un autre plan, dans un autre cercle... Pareil à ces créatures qu'on voit sur certains tableaux, enfermées dans une sphère transparente où se maintient par quelque vertu magique la douceur du premier éden. Insensible en tout cas à cette morsure du froid, qui moi me tenait éveillé.

Combien de fois l'ai-je ainsi surpris la nuit, adossé aux ombres, skieur à demi ployé vers la descente, sa longue silhouette découpée dans le cadre plus clair de la fenêtre, rêvant les yeux grands ouverts aux frontières d'un monde aboli. Et peut-être voyait-il s'animer quelque frise équestre sur les confins du lac — mousquetaires du désert, moustaches de bravadeurs, barbiches cardinalices, épervier au frontal — là où depuis près de deux mois les cargos avaient jeté l'ancre, immobilisés à l'entrée des canaux par la grève du personnel des écluses.

C'est ainsi que je le revois, et que je ne cesserai de le revoir, interrogeant du regard cette miraculeuse étendue. Nous n'avions plus que quelques jours à passer ensemble dans cet abri dont Patrick O'Donnell, le vieux magasinier de chez *Hens and Kelly* qui me l'avait refilé avant d'aller rejoindre sa sœur en Rhode Island, disait lui-même que pas un nègre qui se respecte ne voudrait s'y installer. Il allait disparaître, se fondre, mais définitivement cette fois, dans cette foule anonyme constamment chassée d'un bout à l'autre du pays, sa marge d'expectative et de rachat, entre le Nord et le Sud, New York et San Francisco. Il allait disparaître, et moi je ne pouvais plus rien pour l'en empêcher. De son improbable aventure, tout à ce moment semblait s'être effacé. A part... à part ces quelques résurgences, comme dans l'esprit de certains amnésiques qui gardent intactes de vieilles rengaines, de longues tirades resservies à l'improviste et chaque fois hors de propos. Il s'était libéré, peut-être à travers moi — qu'un hasard avait mis sur sa route... mais le hasard dans sa vie tenait registre du destin — il s'était libéré, ne me léguant qu'une mémoire absente et, touchant ce qu'il avançait, une absence flagrante de preuves. A part cela, une sollicitation indirecte, une invitation à consolider en moi-même cette ruineuse hypothèse concernant l'œuvre posthume d'Atarasso — accusation que lui-même s'était bien gardé d'étayer. Peut-être, me prenant ainsi à témoin, un désir sous-jacent de me voir reprendre l'affaire, argumenter à sa place, susciter d'autres défenseurs là-bas en Europe — en somme d'aller plus loin que lui-même n'avait jamais été. Tout cela comporterait de gros risques si je me lançais à mon tour dans une pareille dénonciation. Exactement le genre de risques que lui-même a finalement jugé dérisoire d'endosser.

Il se taisait, et je ne saurais rien de plus, et le doute resterait permis — ce doute qui pour tous ceux qui s'engagent dans une voie difficile a toujours été le chemin de la certitude. Celle qui pouvait naître dans mon esprit, je ne l'ai due qu'à cette forme de délire lucide, les premiers temps à l'hôpital, et sans doute aussi aux drogues qu'on lui administrait alors, à cette torpeur coupée de brusques accès de loquacité.

Rien n'était pire pourtant que cette heure où le sommeil n'arrivait pas à le rejoindre. Finalement, la nuit s'achevait et cette contemplation muette. Le jour naissait difficilement aux abords de la ville sous la pâleur exsangue de ces bassins, inaccessibles depuis des semaines à toute navigation, et sur lesquels avaient cessé de se refléter les rampes du skyline et les poutrelles des nouveaux buildings. Mais lui, toujours immobile à cette même place, le front appuyé contre la vitre, assistait à un autre spectacle, l'oreille pleine de ce nom qui ne cessait de s'amplifier.

Et déjà il était trop tard pour s'interroger sur les origines du thème proposé. Trop tard pour se demander si cette Sélinonte était celle où mourut Trajan, au terme de l'expédition chez les Parthes, et sur le chemin d'un implacable retour, ville désormais désignée par cette mort impériale; ou bien l'autre Sélinonte, d'Europe et Mégarienne, effacée plus tard par les Sarrasins. Ni cette Sélinonte-là, ni aucune autre, mais une apparition, une éblouissante traînée, un grand vaisseau bien gréé dans le vent, conduisant son escadre dans un étroit goulet, et remplissant à lui seul tout l'espace, soulevé par une vague qui, submergeant les berges et les rivages proches, semblait soudain faire déborder la mer.

Ce nom était passé à sa portée, et il avait réussi à s'en saisir. Mais voilà que cette vague l'emportait sur sa crête et qu'il réussissait à se maintenir sur celle-ci parallèlement au rivage comme s'il se fût livré aux joies du *surf* dans la baie de Sidney. C'était une musique jaillie des profondeurs de lui-même, et dont le rythme allait bientôt s'accélérer. Une lumière s'allumait dans ses yeux, et je pouvais déceler à une soudaine coloration du masque je ne sais quel frémissement intérieur. Un mot, rien qu'un mot! Un nom!... Il revivait l'étrange miracle de cette naissance et de ce clair déferlement. Tout recommençait pour lui comme au temps où il trouvait chaque matin sur sa table, laissées là bien en évidence par Sandra avant son départ, les notes éparses arrachées aux carnets d'Atarasso. Et jamais elle ne lui avait remis l'ensemble de ces notes; comme si elle se fût défiée, comme si elle tenait à l'engager petit à petit dans ce travail. De quoi y était-il question?... De l'oiseau bleu de Cnossos? ... Des yeux du poulpe agrandis par la rotondité lunaire d'un vase?... De Gudéa, prince de Lagash?... De quelques réflexions mineures autour du problème de la dénatalité des élites romaines?... N'importe, soudain détaché de ces considérations de savant qui ne lui importaient pas autrement, qui ne l'excitaient pas outre mesure, un mot, un simple nom suffisait à déclencher en lui le mécanisme. Où puisait-il cette force, cette liberté, ce désir de s'égaler au modèle et très vite de dépasser ce propos partiel, un peu limité? Ç'avait été pour lui une sorte de jeu sauvage dont il ne connaîtrait jamais la règle, une sorte d'extase violente et peut-être imméritée. Un mot!... D'autres surgissaient à la suite, si nombreux qu'ils lui cachaient le soleil et qu'il ne voyait plus les heures passer. Il en oubliait les repas qu'un jeune domestique lui apportait sur un plateau. Un délire, une possession! Tant que cela durait il lui suffisait de disposer ses filets. Et jamais l'orgueil de créer quelque chose de durable n'avait traversé son esprit. Soudain il s'écroulait comme une masse. Quand Sandra revenait au milieu de la nuit, apportant de nouveaux feuillets, elle le trouvait nu, en travers du lit. Il ne se réveillait qu'au contact de ses lèvres et de ses mains.

Telle avait été sa vie à ce moment — entre un excès de mots et un excès de silence — dans une totale dépense de son corps et de son esprit. Mais tout cela s'était effacé, et ses fureurs, et ses rancunes. Pourtant le mécanisme restait intact. Sélinonte chantait en lui comme un vieux thème qui tourne à l'obsession. Cette fois il n'irait pas au-delà. Il était dans cette cabane — le coin le plus malsain, si l'on s'était donné la peine de le chercher — et il ne la quitterait que pour disparaître et plus personne n'entendrait jamais parler de lui. Sa seule victoire, il ne l'avait remportée que contre lui-même et en partie à son insu. Comme le vieil empereur, ramené vers la côte parce que son état ne lui permettait pas de supporter la traversée, débarqué dans le premier port, installé dans la première maison venue, il laissait à un autre son étonnante réussite; ses triomphes, il ne pouvait les revendiquer.

Peu de choses... très peu, ou beaucoup trop! Suffisamment en tout cas pour m'ôter à moi — l'autre patient qui s'était trouvé avec lui dans cette chambre de Redgrave — le repos, et me jeter à sa suite dans ce dédale de contradictions, d'invraisemblances, alors que lui-même semblait en avoir trouvé l'issue.

Et voilà maintenant qu'il se taisait et se tenait, comme enchanté, au terme d'un long processus de dégagement. Cette cabane sur le rivage, tout juste bonne pour venir s'y sécher l'été après avoir pêché sous l'averse, c'était le lieu même dont il avait toujours rêvé, ce portique de la sagesse et du renoncement, ce tabernacle, cette hutte de roseaux en plein désert où Atarasso avait rédigé ses fameuses notes alors que les chacals et les hyènes tournaient la nuit autour du campement. Chambre invisible à tout autre, et où il se voyait sans doute assis les jambes croisées sur une natte ou un tapis de prière.

Là seulement il pouvait espérer l'entière rémission après ce lent et très fastidieux purgatoire.

Soudain il abandonnait la partie, apparemment détaché de toute ambition de voir reconnaître son droit. Pourtant il négligeait de retirer sa dernière mise, laissant entier ce formidable enjeu de vérité qu'il me laissait le choix de faire honorer. Pensait-il que cette vérité ne pouvait que faire son chemin ? Désirait-il me sauver en m'impliquant dans cette défense ? Ou bien prévoyait-il que l'impossibilité où je serais de faire triompher sa cause contribuerait plus encore à brouiller derrière lui les pistes, une fois qu'il aurait disparu ?

Savoir où son esprit voyageait ! ... Quelque passé inaccessible pour qui n'a jamais entendu parler des Sumériens et des Hittites, pour qui ne s'est jamais plongé dans les complications de la politique arsacide et les préparatifs de la campagne conduite par Trajan jusqu'au golfe Persique. De bizarres visions retrouvées à travers d'étouffantes ténèbres brasillantes de feux allumés sur les sommets, à l'entrée des défilés, devant la porte murée des tombeaux. Cette nuit où les populations fuyant les abords du Vésuve avec leurs oreillers sur la tête pensèrent que les dieux étaient morts.

Se rêvait-il, à la place d'Atarasso, passant au peigne fin des débris, des tessons couverts d'écriture et remontés du septième, du huitième niveau, ou assistant au dégagement d'un mur, au pompage d'une nappe souterraine arrêtant le progrès de la fouille ?

Toutes ces images continuaient à l'obséder et il semblait les poursuivre sur cette surface gelée à travers la vitre en partie opaque. Cédant à cette fascination, refusant tout ce qui eût pu le distraire, il ne cessait de voir s'immobiliser sous la lune la double rangée des cavaliers clibanaires dressés sur leurs étriers.

Tout ça était pure illusion. Il le savait maintenant. Et

rien ne le ramènerait vers ces discussions, ces chipotages. Il refusait de maquiller ce qui allait être sa mort en ultime revendication. Une femme avait tout conduit. Celle-là même que dans l'heure la plus lucide, alors qu'il la retrouvait chaque nuit et pouvait disposer d'elle à sa guise, il avait nommé *Cendre*. Flamme destinée à le dévorer, à le disperser aux quatre vents! Cendres! Sandra!... Ce visage aussi s'était effacé. Il souriait retrouvant ce limon fertile de la nuit. J'apercevais un être délivré. Seul subsistait ce chant intérieur associé à ces quelques syllabes prises dans un silence qu'il ne croyait plus nécessaire de briser.

Sélinonte! Un petit port de la rive d'Asie où s'était dénoué un des grands destins de l'histoire sous le signe de l'ambiguïté, de la fausseté, du mensonge. L'écho de son propre renoncement. L'hiver autour de lui restait le maître.

Il y a longtemps qu'il s'est tu, longtemps qu'il a repris la piste. Une route qui ne pouvait le mener nulle part, sinon vers un de ces culs-de-sac, en marge des populations sédentaires et fluides, où les asociaux de son espèce finissent tout de même par aboutir à quelque chambre froide ou sur une table de dissection, l'usage n'étant pas dans nos cités d'offrir aux rapaces la nudité de ces morts anonymes mais plutôt à une destruction immédiate et quelquefois à la science.

Que je ne puisse rien garantir de plus que la disparition de Géro — disparition dont je n'ai même pas été le témoin — va dans le sens des rapports jamais clairement établis entre nous deux. De là à assimiler à une fuite... en fait elle répond trop à la logique d'un comportement qui la rendait inéluctable et en somme prévisible. Peut-être ai-je toujours pensé, au cours de ces semaines au bord de l'Érié qui auraient dû correspondre à un temps de convalescence après son opération, que les choses entre nous ne pouvaient s'achever autrement; que du moment qu'il m'avait *parlé* je le retenais à quai. En me filant ainsi sous le nez, il a détaché cette amarre, sans pour autant me délier. Déjà je savais bien que ma vie ne serait jamais plus la même; que je ne me débarrasserais pas de ce poids aussi facilement que lui-même, et que, vivant ou mort, il continuerait de se soustraire et de m'intriguer en m'enfermant dans son énigme jusqu'à la fin.

Pour moi rien n'allait être achevé. C'est là ce qui ressort des circonstances et du choix d'une gare routière comme lieu d'envol définitif. Rupture qui a plutôt eu les conséquences d'un pacte. Choix non dénué d'ironie. Que dire en effet de cette façon de me planter là au milieu de la nuit, d'épingler sa disparition sur une rose des vents, comme s'il n'avait jamais été sous mes yeux qu'une sorte d'essence immatérielle, de corps fluidique appelé à se dissiper à la première occasion!... Tout ceci de nature à me laisser croire que peut-être nous ne nous étions jamais rencontrés.

Avait-il vraiment disparu? Allait-il reparaître tout à coup, à l'autre bout du monde, sur les versants himalayens, dans l'ancienne capitale des rois newars, ou bien, sans aller aussi loin, entre la 10e et la 15e rue, dans le périmètre de St-Mark Place ou du Bowery?

Ce cabotinage angélique cadrerait assez bien avec l'image qu'ont pu garder de lui la plupart de ceux — témoins directs aussitôt mués en témoins à charge — qui l'ayant connu en Europe ou ailleurs ne se souviennent que des changements à vue, des fausses sorties de ce personnage pour eux marginal.

Sur le moment, encore sous le choc, n'allais-je pas me lancer à sa recherche et dans la plus vaine et la plus exténuante des poursuites? En coupant de la sorte tenait-il à m'indiquer une autre direction et à m'orienter vers une autre recherche jamais tentée à son sujet, plus imaginaire que biographique, et qui risque de faire apparaître sur la face cachée du météore une sorte de moi cohérent auquel il n'a jamais essayé de prétendre.

L'autre Géro a-t-il vraiment disparu?... En est-il quitte désormais avec cette réalité temporelle qui à la fin n'était plus pour lui qu'un prolongement superflu?

Qu'il puisse une fois de plus refaire surface reste une éventualité — mais uniquement sur le plan du mythe. Quelque chose qui peut faire penser au réveil des vieilles divinités enfouies dans la terre et qui ont donné en leur temps leurs noms à des îles, des montagnes, des forêts, des fontaines, des cratères, des pics dénudés, des continents disparus.

Je me passerais bien de buter là-dessus. Géro ne cesse de revenir, mais le cycle de ces retours — qui ne sauraient bouleverser l'ordre des choses — se fait désormais dans mon esprit, malgré des failles trop évidentes et les contradictions que les témoins que je parviens parfois à toucher ici ou là et à sonder à distance rendent aveuglantes le plus souvent. L'écueil principal restant l'insidieux préjudice d'un doute que je ne parviens pas toujours à dominer, et qui rejette alors toute cette entreprise (dont rien ne m'assure d'ailleurs que je sois fait pour la mener) dans les catégories de la foi, et la plus aveugle, la plus difficile à faire partager aux autres.

Une telle hypothèque ne pourrait que ruiner cette tentative de restitution d'un être si mal concilié avec tout ce qui peut être dit le concernant et dont la parabole ne peut être tracée par rapport à un point fixe qui permettrait de la définir.

Ceci me renvoie nécessairement à l'avertissement reçu du docteur Gunther dans les derniers temps de notre séjour à Redgrave Hospital, quand je lui ai proposé de me charger de Géro. Aucune autre certitude que celle-ci. C'est donc par là qu'il faut commencer.

J'étais sur pied, prêt à rentrer dans le courant. Le risque, c'était qu'ils s'en rendissent compte et, croyant que je simulais pour me faire dorloter quelques jours de plus par leurs infirmières, me vident séance tenante : *avant lui !*

Un matin j'ai suivi dans le couloir, encore vide à cette heure, le docteur Gunther et lui ai sorti la chose que j'avais en tête, projet longuement ruminé. Depuis qu'on avait retiré à Géro ses guttas, c'était lui, ce Gunther, qui venait faire les visites et surveiller la cicatrisation.

— Et lui, qu'est-ce qu'il en dit?

— Il est d'accord.

Je m'avançais vraiment. Géro n'était pas dans le coup. L'essentiel pour le moment c'était d'avoir le docteur Gunther dans mon jeu. Une bonne tête d'Allemand, yeux bleu-gris, cheveux blancs coupés en brosse. De plus, s'intéressant aux buffles et aux marsouins. Descendant de voiture pour photographier les castors quand il se trouvait en voyage dans des coins où il y a des rivières à castors. Tout cela m'avait mis en confiance. Au fond qu'est-ce que ça pouvait bien lui foutre que je me charge de Géro. Ce n'était pas Blue-Cross et Blue-Shield qui allaient payer pour lui qui bien entendu n'était affilié à aucun organisme de sécurité et de prévoyance, pris en charge par aucun organisme d'entraide sociale ou confessionnelle. L'hôpital ne devait pas tenir à l'avoir indéfiniment à sa charge. Mais la direction refuserait de le laisser partir sans savoir où on l'embarquait. S'ils faisaient une enquête sur mes ressources, celles-ci risquaient de leur paraître trop limitées pour me permettre de m'engager dans cette expérience philanthropique. Pourtant si je voulais réaliser ce projet il me fallait improviser, aller de l'avant.

— J'ai une maison au bord du lac, à une dizaine de miles d'ici... ça devrait pouvoir s'arranger.

Une maison! Je m'avançais encore plus. Je sous-louais un appartement en ville chez des retraités, braves gens, mais toujours à l'affût des allées et venues. Pas question de me ramener là avec un gars sortant de l'hôpital, vêtu d'une sorte de poncho effiloché doublé de mouton, chaussé de brodequins probablement en usage au IIe siècle dans la cavalerie parthe : ils eussent ameuté le voisinage. Restait la cabane. Il y avait un certain temps que je n'y étais pas revenu. Depuis que le petit Justin, employé chez *Woolworth's*, s'était noyé au bout de la crique. Tout le monde m'était tombé dessus. Comme si j'étais responsable de cette manifestation de l'inconscient collectif qui pousse un si grand nombre de gosses de ce pays à se confectionner un radeau avec des bidons et des planches et à partir ensuite à la dérive, à la découverte d'îles, de trésors, de sauvages. « Vous auriez dû le surveiller! » Je n'étais même pas là quand c'était arrivé. Tous les emmerdements que ça m'avait valus! La famille de petit Justin du côté de Niagara Falls, les flics et toute la direction de *Woolworth's*, les ligues de protection de l'enfance. Et je n'étais plus apte tout à coup à faire débuter les gosses en latin à *Trinity School*. J'avais même dû déménager.

Pourtant, en l'absence de toute autre solution, c'était tout de même celle qu'offrait cette baraque qui avait trouvé place dans mon esprit. La cabane doit accompagner le radeau dans les zones obscures d'une conscience fautive, aussi bien chez les enfants américains que chez leurs aînés, lesquels ne sont pas forcément des adultes. En fait, il s'agissait de tout autre chose que d'une « villégiature » au sens où l'entendent les agents de location. J'ai déjà dit de quoi il retournait. Un abri à peine moins précaire qu'une vieille carène abandonnée sur le sable. Une vieille carlingue transformée en guitoune à côté d'un monticule de ferraille, d'un cimetière de vieilles voitures.

— Si vous êtes certain de pouvoir le faire... Mais c'est une drôle de responsabilité, mon garçon... Y avez-vous réfléchi? Est-ce que vous vous en faites seulement une idée?

Je n'étais certain de rien, sauf que si je me transportais avec ce gars-là dans un coin pareil je devrais cesser de venir travailler en ville et que je devrais l'avoir à l'œil vingt-quatre heures sur vingt-quatre. Quant à l'argent que j'avais à mon compte, ça irait tout juste jusqu'à la fin de l'hiver.

— Quand sortez-vous?

— Peut-être pourrions-nous partir ensemble le même jour... ça faciliterait.

Le docteur Gunther me regardait sans étonnement excessif. Il arrive quelquefois qu'un malade, au moment de quitter l'hôpital ou la clinique, demande à l'infirmière de faire sa vie avec lui. Mon offre était plus difficile à cerner.

— Bien... j'en parlerai.

J'allais le remercier, mais lui, sur un ton à la fois compréhensif et compatissant, comme s'il s'adressait à un malheureux jockey dont on va devoir abattre le cheval qui vient de se casser la patte en lui tirant une balle dans l'oreille :

— ... pourtant il y a une chose qu'il faut que vous sachiez... c'est mon devoir de vous prévenir. Vous ne l'aurez pas très longtemps à votre charge. Cela n'a rien à voir avec l'opération, qui a réussi, bien sûr, comme tout ce qui se fait ici... mais avec son état! Si vous étiez de la famille on vous donnerait d'autres explications. Cela ne servirait à rien; et d'ailleurs ce n'est pas mon affaire. Mais souvenez-vous de ceci... pas plus de...

Il n'avait pas dit le chiffre, mais levé trois doigts, hésitant un instant avant de lever le quatrième.

— En mois! avait-il tenu à préciser.

Le compte exact, la limite extrême du temps imparti au sortant.

— Eh bien, bonne chance, mon garçon, bonne chance!

Et soudain se ravisant, alors qu'il était déjà au bout du couloir :

— A propos, savez-vous faire les piqûres?... s'il venait à flancher...

L'été, si on continuait par là en auto, on s'ensablait. Chemin si étroit qu'on ne pouvait, une fois engagé, repartir qu'en marche arrière. Mais l'hiver, grand Dieu!... l'hiver avec une neige rendue gluante par toutes les retombées de fumées qui chargeaient l'horizon du côté de la ville, au-dessus des secteurs nègres et polonais, par toute cette crasse rabattue vers le lac par-dessus le *thruway* filant droit vers Fredonia et produite de nuit comme de jour par cette pourriture d'usines au sud de Seneca et de Lackawanna, c'était bel et bien de la folie que de s'amener là avec n'importe quelle sorte de véhicule et de venir échouer auprès de ce dépôt d'ordures.

Comme l'endroit était à l'écart de la route, celui-ci pouvait tenter des gens qui pour une raison ou une autre cherchaient un coin tranquille, pas trop éloigné néanmoins, et où les cops ne viendraient pas leur mettre une torche électrique sous le nez. NO TRESPASSING. Le vieux O'Donnell en clouant sa pancarte s'était plutôt montré bon prince envers ces couples venus se tripoter au fond de leurs bagnoles en les avertissant ainsi du danger de se retrouver très vite soudés au sol, coincés de chaque côté par les talus neigeux. A moins de se faire suivre par une grue dépanneuse munie d'un treuil les malheureux n'avaient aucune chance de s'en tirer; précaution rarement envisagée dans ce genre de sortie. Ils risquaient moins en bordure du parc zoologique ou du *Country Club*.

La pancarte était toujours là, mais la neige saupoudrée d'escarbilles ne portait aucune trace de pneus, preuve que les gens avaient fini par savoir que l'endroit était malsain. La plupart des piquets avaient été renversés qui marquaient autrefois les limites du territoire que le vieux s'était attribué (sa tâche principale, quand il ne pêchait pas, était de les relever) en se fondant sur une forme d'appropriation aussi archaïque que le rapt des épouses, mais qui, chez cet authentique descendant des coureurs des bois, correspondait moins au désir d'avoir un coin à lui pour y voir défiler les saisons qu'à un instinct, sans doute ancestral, de solitude et d'espace.

N'empêche que c'était bien l'endroit le plus désolé, le plus minable, et qu'on se demandait ce qui le lui avait fait choisir de préférence à d'autres où ont été installés depuis de nombreux bungalows tout au long de l'étroite plage presque rectiligne. Probablement la sauvagerie du lieu, cette quasi-inaccessibilité, la certitude aussi qu'on ne le lui disputerait pas. Mais avec les années son Arcadie était devenue un affreux terrain vague, jonché de tous les débris imaginables, entraînés par le vent, échoués par le courant, amoncelés par les décharges. A une dizaine de miles, ces cheminées menaçantes, les rampes géantes et les cages de verre du skyline. Et devant, à perte de vue, surface grise et inerte, le lac. Mais de là, quelque chose d'aussi terne qu'une plaque de ciment qu'on aurait coulée d'un bloc et dont on n'apercevrait pas les limites.

Je suis descendu le premier et me suis avancé jusqu'aux deux poteaux qui marquaient l'entrée. L'entrée de quoi? Du domaine?... de la réserve? *Real estate!* Géro était resté dans l'auto. Je m'attendais à l'entendre crier : « Ça va... foutons le camp! » D'accord!... mais pour où? Quelle idée avais-je eue de l'amener là? De toutes les conneries que j'ai pu faire dans la vie...

Et voilà que je me suis mis à repenser à cette horrible histoire qui m'avait tellement chamboulé quand c'était arrivé.

Ce malheureux gosse, taches de sons, oreilles décollées, victime des bandes dessinées, mais surtout du fait qu'il n'avait jamais réussi à apprendre à nager. Personne n'avait entendu ses cris. Peut-être s'était-il endormi sur son radeau? C'était bien la meilleure façon pour lui d'oublier les paquets qu'il devait entasser sur des poussettes et amener dans le dos des clientes jusqu'au fond du parking. *No tips!* cela va de soi. Oui, la meilleure façon pour lui de se croire sur les eaux du Mississipi ou du Potomac. A mon arrivée — et il y avait bien trois semaines que je n'étais pas venu là — j'avais trouvé la police solidement installée sur les lieux et Justin au fond d'une bâche, souriant presque, les lèvres entrouvertes comme si allait s'en échapper un petit poisson. Le genre de plaisanterie qu'on eût pu attendre de lui. Il était bien le seul à ce moment, sous cet auvent fait de plaques de fibro-ciment où on l'avait allongé, à avoir l'air de trouver que l'aventure finissait d'une manière vraiment cocasse. J'étais bien incapable de décider quelle interprétation il convenait de donner à cette scène : la sienne — ironique, saugrenue — ou celle des policiers qui, bien entendu, voyaient la chose tout autrement. Leurs regards étaient braqués sur moi comme sur une pièce à conviction qu'ils n'entendaient pas laisser échapper.

— Ça vous appartient ce machin?

Chenil, clapier... d'autres mots devaient leur venir à l'esprit.

Il fallait être devant pour croire que ça existait tel que c'était; qu'on pouvait trouver ce genre d'habitation à proximité de la ville. Quant à dire que ça m'appartenait... : je tenais mes droits de quelqu'un qui, lui, ne les tenait de personne.

La réponse avait jailli dans mon dos.

— ... précédent occupant Patrick O'Donnell, originaire de Tonawanda... famille ayant toujours habité la région... a travaillé un moment au nettoyage et à l'entretien des calorifères au *Checktowaga Office*, *Marine Trust Company*, *Miracle Row*...

Mais ce n'était pas de lui qu'il était question. Le vieux s'était retiré à temps en Rhode Island auprès de sa sœur. Je restais seul sur la sellette. Et c'est alors que ces nuques rasées m'avaient assené la question, celle que j'attendais le moins, qu'en vérité je ne m'étais jamais posée relativement au garçon :

— « Vous n'êtes ni un parent, ni un ami de la famille... » Du diable si je m'étais jamais demandé si petit Justin pouvait avoir quelque part une famille... ça m'eût semblé aussi drôle que de me demander s'il avait un avion personnel... et vraiment pour le peu qu'il semblait avoir reçu de cette famille si elle existait quelque part !... « ...alors... qu'est-ce que ce gosse fichait chez vous ?... Tous les dimanches... et sans doute aussi le samedi... Et du samedi au dimanche où passait-il la nuit ? »

Est-ce que je savais ? Est-ce que j'avais à m'en préoccuper ? D'abord cet endroit, ce n'était pas positivement « chez moi », mais un lieu ouvert à tous, comme on pouvait le constater. Il venait, il ne venait pas. Je ne me souvenais pas de lui en avoir jamais donné la permission, ni qu'il me l'eût jamais demandée. Est-ce qu'on empêche les gens de s'abriter sous un arbre ? Il y avait bien là un coin où il pouvait s'enrouler sur lui-même et dormir s'il en avait envie. Peut-être lui était-il arrivé de profiter de cette possibilité pendant l'été, au printemps, quand moi je n'y étais pas.

Cela ne leur avait pas paru très probant, et voilà que petit Justin si peu problématique jusqu'alors devenait sous mes yeux une sorte de gros bébé squale que je n'arrivais plus à identifier.

— Célibataire ?

Ils devaient le savoir. Tout ça commençait à faire un tout singulièrement cohérent derrière le hublot de leur conscience bien astiquée. On avait déjà dû prévenir la supérieure à *Trinity School* et l'interroger à mon sujet. Dès que la nouvelle serait connue dans la ville par les journaux du soir, il se trouverait certes des parents pour exiger mon retrait.

Et qu'est-ce qu'un gars comme moi, étranger au pays, venu du Brésil ou du Guatémala, donnant des cours de latin pour achever ses diplômes, mais inscrit dans aucune université, pouvait bien venir mijoter ici, dans les parages? Est-ce que je venais là pour tirer à la carabine sur les oiseaux? pour pêcher sur le lac? pour m'exercer à franchir les rapides en caïque?... Rien de tout ça! Alors pourquoi cet endroit, loin de tous les regards? Qu'avais-je à cacher? Ils n'avaient pas formulé cette dernière question, mais elle découlait nécessairement des précédentes. Quel genre de poison social ou de stupéfiant? Qu'est-ce que je pouvais avoir là en réserve pour mes visiteurs?

— Et lui le gosse... qu'est-ce qui pouvait bien l'attirer par ici, en avez-vous une idée?

La réponse ne m'est venue que beaucoup plus tard, et alors que j'avais tout de même réussi à me tirer de leurs pattes : les mêmes raisons qui avaient déterminé le vieux à choisir le coin à l'exclusion de tout autre et à s'y construire cette chose sans nom pour y venir lui aussi de temps à autre.

Tout ça aurait dû m'engager à rayer l'endroit de ma carte et à ne plus jamais y remettre les pieds. J'y étais revenu. J'y revenais. Et accompagné d'un type qui avait été mon voisin de lit à Redgrave Hospital, et dont je ne connaissais rien de plus que ce qui pouvait être rapporté au délire... à une forme particulière du délire. Quelqu'un que j'allais avoir à ma charge, dont je serais de quelque façon responsable s'il se livrait par la suite à des excentricités. Il faudrait bien pourtant que je le quitte parfois, ne fût-ce que pour aller au centre de ravitaillement le plus proche. Et si je le retrouvais refroidi, mort de sa mort ou d'une mort qui pourrait être attribuée à une erreur de dosage — volontaire? qui sait? — des médicaments qu'il avait à prendre?... Tout recommencerait alors, comme après la noyade du pauvre Justin. J'avais parlé au docteur d'une « maison au bord du lac »... jolie maison!

Est-ce que je me foutais du monde? Qu'est-ce que je traficotais par en dessous? Les mêmes questions avec la police. Comment m'en tirerais-je cette fois?

Tout cela m'était revenu à la seconde même où je descendais de l'auto. Mais le pire... le pire c'était bien ce que j'avais sous les yeux et dont il était difficile d'imaginer par quelle opération de la volonté on eût pu le changer en un lieu de délices, Tivoli ou Tibur tout bruissant de cascades et de rossignols, ou plus simplement en un lieu de repos. Comment avais-je osé? Qu'est-ce qui m'avait passé par l'esprit? Quittant notre chambre nette et « aseptisée », ce n'était vraiment pas un refuge pour quelqu'un dont aucune des réactions ne m'était entièrement prévisible et à qui le docteur Gunther n'accordait pas six mois de sursis. J'aurais dû avertir Géro de ce qu'il allait trouver là, lui décrire la situation exacte et la nature des lieux pour qu'il sût bien que ce chalet sur le lac était tel en vérité qu'aucun cinglé, aucun drogué tout juste sorti de tôle n'en eût voulu, même pour s'y pendre.

Peut-être l'avais-je fait? Peut-être lui avais-je dit ce qu'il en était de ce gourbi sans eau, sans électricité, sans chiottes? Mais il était bien capable de n'avoir rien retenu, d'avoir tout recomposé dans sa tête, redessinant un de ces palais de Cnossos, ou le sanctuaire de Dodome, ou les galeries du labyrinthe au cœur d'un ancien fortin mégalithique. On était loin de compte. Je n'avais à lui offrir ni Sybaris ni la Cité du Soleil. Nous n'étions pas sur la route de la soie, ni au bord de l'Euphrate ou du Gange, mais au milieu de vagues détritus agités par le vent sur la neige la plus maculée. Géro avait beau avoir la tête farcie des trouvailles de Schliemann et d'Evans, des *Mélanges archéologiques* d'Atarasso, aucune chance pour lui de voir surgir Tartessos, ou Mari, ou les ruines de la maison de Catulle de cette portion la plus avariée de toute la rive de l'Érié et de l'Ontario. Resté dans la voiture, il se taisait. Comment allait-il réagir en s'éveillant tout à coup en face d'une réalité aussi peu transposable?

La crique avait continué de s'envaser. Quant à la baraque, un hiver, deux hivers n'avaient rien arrangé, mais elle était toujours là, à moitié effondrée, à l'endroit le plus désolé de cette grève couverte de débris, de troncs d'arbres et même, l'été, de squelettes d'oiseaux empoisonnés par le goudron.

Je n'ai pas eu à chercher les clefs dans la poche de mon blouson de cuir. Il n'y avait jamais eu de serrure, mais une grosse pierre pour coincer la porte quand on partait et un morceau de bois mis en travers du chambranle quand on voulait fermer de l'intérieur. Un vieux fauteuil à bascule, un barbecue rongé par la rouille, une ou deux lampes-tempête, c'est à peu près tout ce que le vieux avait laissé. J'avais bâti la table au moyen d'une porte posée sur des caissons. Le lit : un tas de vieilles couvertures. Jamais cette installation ne m'était apparue aussi sordide, aussi misérable.

Géro venait de poser sur la table sa fameuse sacoche thibétaine qui composait tout son bagage. Je ne l'avais pas entendu venir. Tout de suite je me suis lancé dans des explications entremêlées de regrets et d'excuses. Nous ne pouvions rester. L'endroit n'était pas habitable. Après tout, nous sortions de l'hosto, pas très gaillards ni l'un ni l'autre. De plus il s'était passé là quelque chose, une sale affaire qui avait fait du bruit. Les flics allaient s'amener, nous demander ce que nous faisions là. Et si nous nous obstinions à rester nous les aurions tout le temps dans le dos, croisant dans les parages pour essayer de savoir ce que nous trafiquions. Il valait mieux filer, ne pas attendre, descendre vers le Sud, ou au contraire aller vers l'Ouest. Ou encore, puisqu'il avait un oncle à Nashville...

Mais lui, imperturbable, regardant tout autour comme s'il reconnaissait chaque chose, comme s'il avait toujours rêvé de découvrir enfin sur sa route ce genre de refuge : « ça ira parfaitement... ça ne pouvait pas être mieux... » C'était la première fois que son visage reflétait une telle certitude. Il souriait. J'ai compris qu'il avait décidé de demeurer, que c'était là qu'il voulait être désormais, et même seul, dans le cas où je n'aurais pas le courage de rester. Je suis allé prendre dans le coffre de la voiture les sacs contenant des conserves, des provisions diverses. En rentrant, je l'ai trouvé à la même place, avec toujours ce même sourire. Sa tête touchait presque le plafond, mais l'espace déjà n'était plus le même. Quelque chose avait changé. J'ai commencé de ranger ce que je venais d'apporter sur une étagère. Je pensais qu'il allait se raviser, me dire de tout remballer, que nous repartions — et peut-être justement vers Nashville où sa mère était enterrée. « C'est tout à fait ça... comment as-tu pu deviner ?... » Il a fermé un instant les yeux, puis les a rouverts de nouveau comme pour bien se pénétrer de ce qu'il voyait, et avec une expression de bonheur que ne pouvait entacher désormais aucune hésitation, aucun doute : « ... comment as-tu pu deviner ?... La chambre impériale !... Le paradis ! »

Peu importe le temps que nous avons passé là. Expérience de survie sur un glacier ou dans une cloche de plongée. Or voilà que soudain c'était décidé, en quelques minutes il a fallu boucler nos sacs et filer. Aucune explication côté Géro. Ce n'était pas son genre d'en donner, ni le mien d'en demander. De toute façon, rapport aux commodités, il n'y avait rien à regretter.

Minute assez émouvante pourtant : Géro le front contre la vitre, regardant une dernière fois du côté du lac. C'en était terminé. Nous partions, et pas en auto : la pauvre avait rendu le souffle en s'embrochant sur un piquet. En attendant de savoir où nous aboutirions en définitive, nous étions en route, pas encore sortis de cette nuit polaire. Le *Greyhound* venait de s'arrêter sur le *parking* devant un bâtiment climatisé posé comme une grosse cage de verre et d'aluminium en bordure du *highway*. Géro dormait, à moitié en travers du couloir. J'ai dû l'enjamber. D'autres cars étaient rangés sur l'aire de ciment rendue aveuglante par la lumière tombant du haut des pylones. Quelques voyageurs restaient à l'intérieur de ces voitures hermétiquement closes, enroulés sur eux-mêmes comme des animaux frileux, bercés dans leur sommeil par le ronronnement de la ventilation, tandis que les autres, le plus grand nombre, envahissaient le snack, se dirigeaient vers les toilettes ou les distributeurs automatiques. Perdu dans la nuit blanche, avec tous ces gens qui entraient et qui sortaient, ce restaurant offrait l'image d'une ruche un peu affolée. Il y avait foule autour du comptoir. Finalement j'avais trouvé place à côté du chauffeur de notre car, qui, accoudé devant un énorme hamburger broutait placidement des feuilles de laitue assaisonnées au roquefort. Un peu éberlué par toutes ces allées et venues — c'était la première fois que je me retrouvais en contact avec tant de gens à la fois depuis l'hôpital — ce voisinage avait pour moi quelque chose de rassurant, dans la mesure où je me sentais certain de ne pas manquer le départ. Quant à la question de savoir le pourquoi de cette expédition et pourquoi j'étais là au milieu de la nuit, c'était sans doute celle qu'il convenait le moins de poser à pareille heure, dans un lieu ainsi destiné aux haltes nocturnes et aux transits.

Elles étaient là, derrière le comptoir, trois ou quatre filles, à se distribuer le travail. Sans doute avais-je une tête qui lui rappelait quelqu'un ou quelque chose, une des serveuses me demanda ce que je fichais dans le coin et où j'allais, affirmant m'avoir rencontré à Denver, Colorado. A moi de lui dire dans quelles circonstances. Une majorette un peu retombée, ayant eu son compte de défilés nautiques et de parades sous plusieurs administrations présidentielles et qui devait avoir roulé dans pas mal d'endroits avant de faire les nocturnes dans ce restaurant. J'aurais préféré pouvoir ingérer tranquillement mon stroganoff que d'avoir à répéter à la personne en question que je n'avais jamais été là où elle disait, jamais dépassé le Kansas sur les routes de l'Ouest. Mais elle, sans cesser de naviguer d'un bout à l'autre du comptoir : « En effet, c'était peut-être bien à Wichita ? » Installée là comme sur une plaque tournante, à l'intersection de toutes les routes, elle n'était pas à une direction, à une ville près. Il y avait là aussi une bande de garçons et de filles, poils de chèvre et caftans brodés, parés pour les danses polovtsiennes, donnant des signes d'impatience, accrochés du même côté du bastingage. Décidément je n'étais plus du tout dans le bain. A côté d'eux, c'était moi qui faisais figure d'apatride, d'immigrant venu du fin fond des steppes. Je commençais à avoir la tête qui tournait. Et comme la serveuse s'entêtait, j'avais fini par m'excuser de ne l'avoir pas remise plus tôt. « Faut pas les contrarier! » avait conclu le conducteur du car tout en léchant sa gelée d'airelle au fond d'un petit pot de carton. Il venait de commander un second hamburger géant. Nous avions tout notre temps.

Avant de payer, j'avais demandé deux hot-dogs pour Géro. Après quoi, j'étais allé acheter des cigarettes et je m'étais attardé un moment devant les journaux et les périodiques. Devant tous ces titres, tout ce bariolage des magazines j'avais pris soudain conscience du temps écoulé depuis mon opération, et plus encore de mon retard par rapport à tout ce dont était faite à ce moment l'actualité, réelle ou fictive. Pas des années certes mais un espace temporel que ce séjour dans le froid, finalement assez bien supporté par l'un et par l'autre, rendait plus difficilement appréciable.

Le chauffeur, après avoir réglé sa note, s'était dirigé vers les *rest-rooms*. Au moment où je m'engageais dans le tambour vitré la fille que j'étais censé avoir rencontrée à Wichita m'avait fait un signe auquel j'avais répondu. Puis je m'étais dirigé vers le car et avais pris la file pour pénétrer à l'intérieur. Ce n'est qu'à la moitié du couloir que j'ai vu que Géro n'était plus à sa place. La chose semblait si incroyable que je suis tout de même allé jusqu'au fond pour voir s'il n'avait pas glissé entre deux sièges. Son sac lui aussi avait disparu. Aucun doute, Géro avait quitté le car. Je suis donc redescendu, courant vers le bâtiment que je venais de quitter, maintenant à peu près vide. Sur le parking plus que quelques voitures isolées appartenant probablement à des employés travaillant là. Tous les autres cars étaient repartis, chacun dans une direction différente. La salle d'attente, le restaurant, le coin des journaux, celui des conques acoustiques du téléphone, les toilettes, les lavabos... je suis repassé partout; puis, par deux fois, j'ai fait par l'extérieur un tour complet. Après quoi, je me suis retrouvé dans le hall. Pas de Géro. Nulle part de Géro! Et soudain cette certitude : plus jamais de Géro! Je n'arrivais pas à y croire, pensant encore le voir surgir de quelque côté. Je n'arrivais pas à croire que c'était arrivé, que je vivais la réalité de ce moment sans la vivre tout à fait, puisque je ne pourrais jamais affirmer par la suite que j'avais « assisté à sa disparition », été présent à la seconde précise où il s'était effacé de mon existence.

Je restais là, incapable de prendre une décision. Sur un tableau s'inscrivaient les horaires, arrivées, départs, correspondances. Tous ces chiffres dansaient devant mes yeux. Comment savoir dans quelle direction Géro s'était envolé pendant la demi-heure où j'étais resté juché sur un tabouret devant ce comptoir? Sans doute le premier car en partance. A moins qu'il n'ait réussi à se faire prendre par un automobiliste ou un camionneur. On me rappelait à grands coups d'avertisseur. Il a bien fallu que je me décide. L'aire entièrement dégagée, étincelante sous les réflecteurs, semblait saupoudrée de parcelles de mica. A peine avais-je retrouvé ma place que déjà nous roulions de nouveau dans la nuit. Une direction choisie au hasard par Géro dans l'intention de me semer en route. Un des garçons que j'avais aperçus au comptoir est venu occuper le siège resté inoccupé à côté de moi. Où étaient les autres? Il a sorti de sa poche un *walkie-talkie* et mis dans ses oreilles deux minuscules écouteurs reliés à l'appareil par des fils. J'entendais un très lointain grésillement et parfois, comme venu d'une autre planète, le son d'un instrument lançant une note hystérique dans le registre le plus élevé. Tout le reste parfaitement inaudible. D'un geste du doigt mon voisin m'offrait un de ses écouteurs. J'ai refusé également la cigarette qu'il m'offrait. « Votre copain vous a plaqué?... C'est-y à New York City que vous allez? » Est-ce que j'avais la moindre idée de l'endroit où j'aboutirais en fin de compte ? Il me faudrait un bon moment pour comprendre et me retourner. Un bon moment pour en finir avec Géro en reprenant tout depuis le début et, dans la mesure du possible, m'efforcer de faire le point.

Du fond de cette nuit des points lumineux surgissaient, d'abord projetés vers la vitre, puis soudain déviés de leur trajectoire, filant sur le côté comme des météores. Telle serait ma tâche désormais, tenter de capter des signaux, essayer de fixer des repères. « Votre copain vous a plaqué ? » Que répondre à ça ! Avec Géro nous ne nous étions ni trouvés ni perdus. Géro avait fait ce qu'il avait cru devoir faire pour ne pas se laisser enfermer dans ce compte-à-rebours des jours qui lui restaient. En fait, tout allait continuer, mais en moi désormais. A moi de me débrouiller avec les cartes tombées de sa main dans cette étrange partie dont il venait de se retirer. Gagnant ? Perdant ?... Peut-être avais-je toujours pressenti que les choses se passeraient ainsi. Et cela dès la première nuit, quand je l'avais vu arriver sur un chariot poussé par des infirmiers, avec une bouteille de plasma au-dessus de sa tête. Le hasard nous avait rapprochés un instant comme deux barques au milieu du courant. Maintenant il continuait seul jusqu'aux rapides. Et après, le grand saut dans le vide !... Il était resté maître de sa sortie, à l'instant même où il l'avait décidé. Après quoi il n'y aurait plus entre nous que cette corde de rappel : cette voix que j'avais écoutée et que je finirais par confondre... par ne plus très bien distinguer de la mienne.

Un chantage! Un abominable chantage! Un scandale fabriqué de toutes pièces! *A forgery !...* Comment osais-je m'attaquer à un pareil morceau, leur écrire, les talonner, leur demander des comptes?... Et moi avec sur les bras ce dossier que je m'efforçais de constituer, persuadé que c'était le meilleur moyen d'éclaircir le mystère que d'en appeler au passé! Shakespeare était-il Shakespeare? Homère, le vieil aède barbu installé tout en haut de l'escalier des antiques, ou bien une raison sociale couvrant un petit groupe spécialisé dans la fabrication des hymnes homériques?... Et moi, nanti de ces exemples, reposant la question en toute innocence : Atarasso était-il bien Atarasso? Pouvait-on continuer de lui attribuer cette œuvre posthume et soutenir que les *Mélanges archéologiques* et *Description d'un Empire terrestre* étaient de la même main, pouvaient avoir été écrits par le même homme?... Qui m'autorisait à soulever ce voile? Qui m'avait mandaté pour ajouter ce chapitre aux dossiers secrets de l'histoire littéraire, pour instruire ce procès de décanonisation? Les faux célèbres! Je pignochais sur les dates, opérais d'arbitraires rapprochements, tirais des conclusions hâtives de petits faits (que les autres trouvaient) sans importance, de coïncidences (pour eux) banales et fortuites, et que personne n'avait jamais signalées.

Homère, Shakespeare... Mais voyons, on ne court de tels lièvres que lorsqu'ils appartiennent à un passé si parfaitement révolu que personne n'est plus en cause, ni la famille, ni l'éditeur, ni les agents qui assurent la diffusion du bouquin; et aussi parce qu'on sait d'avance qu'on ne les rattrapera pas et qu'ils continueront d'amuser les poursuivants. Pourtant j'osais porter ce défi à la critique du monde libre, unanime pour une fois. Je confondais ces vieux thèmes de discussion qui font partie de la scolastique universitaire avec quelque chose d'actuel et qui ne semblait pas prêter à discussion. J'attentais à l'intelligence, au respect. J'oubliais qu'une époque a besoin de se reconnaître, en marge de toute contestation, par rapport à quelques monuments considérés comme intouchables, inamovibles. Atarasso, très scientifiquement embaumé, devait encore être intact dans son mausolée au bord de l'Euphrate, et moi je me permettais de soulever la dalle de celui-ci comme si une odeur de putréfaction allait s'en échapper et emplir les narines de ses admirateurs, de ses exégètes encore attelés au décryptement des parties obscures de l'œuvre. Je risquais de mettre le feu aux poudres, mais bien inutilement. Un naïf! Un impudent garçon qui ferait mieux de se choisir un sujet de thèse! Que dis-je?... un fou dangereux! D'où sortait ce Huron mal dégrossi, brandissant tout à coup sous leur nez cette hache de guerre, et qui, sous couleur de rétablir les droits de chacun, se mettait à déboulonner la statue du colosse?

Oui, un chantage, un scandale comme seule l'Amérique est capable d'en susciter... pour masquer ses erreurs et ses fautes! Et fondé sur quoi, sur quelles apparences, sur quels témoignages? Ils se le demandaient. Géro! Quel Géro? Ils l'avaient oublié. Ils ne voulaient pas en entendre parler. J'argumentais dans le vide. Sans la moindre connaissance des personnes en cause, des pays où avaient vécu les protagonistes, des circonstances véritables, des intérêts supérieurs, comme un foutu sauvage que j'étais, et qui, toujours selon l'idée qu'ils se faisaient de moi, devait ressembler à un chasseur de fourrures descendu du Grand Nord et s'intéressant tout à coup aux archives royales de Mari ou à la bibliothèque d'Assurbanipal. Un illuminé! Un malade!... Ne leur avais-je pas avoué que je sortais de l'hôpital?

Tout cela, ils ne me l'envoyaient pas dire. Beaucoup ne mâchaient pas leurs mots. Menaces, intimidation, démolition systématique de tout le travail que je m'efforçais de mettre sur pied. Pour un peu une sorte de provocateur, d'agent travaillant pour le compte du C.I.A. ou du F.B.I. à l'échelon le plus obscur. On me démasquerait en temps et en heure. On me dénoncerait à l'opinion, aux autorités fédérales. Mais non, ils n'avaient aucun intérêt à ébruiter l'affaire tant que je me contenterais de nouer ces contacts de personne à personne.

Une pareille tempête, je n'en reviens pas de l'avoir soulevée. Naïf, certes, je l'avais été, et même un vrai champion d'ingénuité d'aller m'adresser à eux et même d'espérer de leur part une sorte de parrainage. Il me semblait au début que c'était là la seule façon de procéder. Comme si la première chose à faire quand on veut éclaircir en soi-même une vérité dont on porte déjà la quasi-certitude n'est pas de s'en tenir à cette vérité et d'essayer de la vivre!

Certains préféraient se montrer surpris, amusés, patelins, bon enfant. Vous n'arriverez à rien, mon garçon, votre entreprise n'a pas de sens et ne vous attirera que des ennuis. Géro, dites-vous? Nous l'avons bien connu; il était ceci et cela, mais pas le moins du monde ce que vous avez l'air de penser. En tout cas, vous ne prouverez rien. Lui-même n'y a pas réussi, si tant est qu'il ait essayé. Peine perdue, pour vous comme pour lui. Les preuves n'ont de valeur qu'entre certaines mains. En gros c'est ce que nous appelons la critique des sources. C'est un beau privilège que de pouvoir changer les vérités admises, mais difficilement accessible. Sans vouloir vous blesser, il semble bien que vous ne faites pas le poids. Ainsi restez en paix. Oubliez tout cela et surtout cette rencontre qui vous a un peu tourné la tête. Un pays comme celui où vous vivez offre, dit-on, tant de possibilités diverses pour un garçon qui n'a pas encore dépassé la trentaine. Vous avez beau avoir un peu de sang latin dans les veines, vous êtes comme tous les Américains, vous ne comprenez rien à l'Europe, et encore moins à tous les gens qui y vivent dans la plus incroyable confusion de langues, d'intérêts, de civilisations, de mythes, dans un perpétuel démantèlement, un perpétuel affrontement de valeurs dont les trois quarts n'ont plus cours. Tout s'y mêle, tout s'y oppose. Et le passé y pèse d'un tel poids que cette vieille galère autrefois capitane n'arrive plus à lever l'ancre ni à se faire respecter en alignant ses canons. Nos gens ne savent plus où ils en sont, ni ce qu'ils ont reçu, ajouté, troqué, gaspillé, perdu. Vous auriez du mal à vous y reconnaître, n'étant jamais sorti de chez vous, n'étant jamais venu voir sur place ce qu'il en est. Là est l'énigme, et point ailleurs. Quant à votre Géro, une épingle dans cette meule. Une éternité ne vous suffirait pas à l'y retrouver. Encore une fois, laissez courir, abandonnez. Ne vous mêlez pas de ça. Oubliez. Oubliez. Faites autre chose...

Pourtant je ne regrette pas trop le temps passé à leur courir aux basques et à me laisser mordre par ces enragés. Parmi tant de réponses hargneuses il m'arrivait de glaner parfois certains détails, visages, dates, rencontres, moments particuliers reliés à une phase précise de la vie de Géro, et qui faisaient surgir de petites îles, des rochers isolés en plein océan. De cette masse de déblais il y avait peu à tirer, sinon une sorte de constat négatif qui n'emportait aucune adhésion, n'établissait, entre toutes ces données, aucune convergence. Anecdotes, ragots, éléments dispersés d'une biographie jetée aux quatre vents, mécanisme phagocytaire aboutissant moins à construire le sujet qu'à le dévorer. On pourrait épiloguer certes sur cette volonté de suppression chez ceux que je pouvais à bon droit considérer comme des témoins. Il y a des gens à qui le miracle brûle les yeux; d'autres aussi qui, pendant qu'il a lieu, préfèrent baiser une fille derrière un buisson. Peut-être ne peut-on voir les choses que de loin, ou même faut-il n'avoir jamais été présent pour qu'elles semblent réelles.

Sans doute devais-je passer par ce documentaire pour bien me persuader de son peu d'intérêt. Il me fallait me perdre dans ces méandres avant d'en arriver à écarter ce genre de références directes, situant ailleurs la vérité. La découvrant plutôt, comme Géro lui-même, en dehors de toute chronologie, de toute vraisemblance, entrecoupée, morcelée, résurgente, en partie due au délire, fondée sur des fantasmes, ne retrouvant toute sa puissance de suggestion, son rythme propre que dans le mécanisme de la parole et uniquement *par les mots*.

J'ai conservé deux de ces réponses-fleuves, elles traversent la réalité sans l'irriguer, ne font que tourner autour du personnage. L'une concerne la jeunesse de Géro et la période qu'il a passée en France après la dernière guerre. C'est celle-ci que je place en premier.

« Vos questions, cher monsieur, sont trop précises pour que, compte tenu du temps écoulé, je sois en mesure de vous fournir tous les éclaircissements demandés. Vous avez eu raison d'adresser votre lettre à Paris au ministère : elle m'est parvenue par la valise, à Stockolm où je suis en poste.

Que Géro se soit souvenu d'une si lointaine et si brève camaraderie; qu'il ait cité mon nom devant vous, me laisse quelque étonnement devant ce que je serais tenté de nommer (lui-même ne m'ayant jamais donné signe de vie) les intermittences de la mémoire.

Il est tout à fait exact que nous nous sommes connus en Sorbonne au lendemain de la guerre. Il fréquentait aussi la *Schola*, si mes souvenirs sont exacts, et étudiait l'orgue avec un élève de Vierne. Ses dons nous paraissaient assez exceptionnels dans ce domaine, mais je ne saurais affirmer que sa famille l'eût envoyé en France pour y poursuivre des études musicales. Nous étions fort jeunes les uns et les autres, et parce que l'Europe se réveillait au milieu des charniers et des ruines, tout ce qui pouvait nous détourner du malheur des temps nous tentait de façon égale sans que nous ressentissions le désir de marquer notre choix et notre préférence. On parlait trop d'engagement à cette époque pour que le refus de nous jeter dans une voie déterminée ne nous apparût pas comme le meilleur moyen de préserver ce que nous nommions, de façon un peu anachronique, notre liberté. En tout cas je ne pense pas que Géro ait jamais envisagé de sang-froid une carrière de compositeur ou de soliste. Ses talents suffisaient néanmoins à occuper nos soirées. Que d'heures passées ainsi dans la maison où j'ai grandi à Meudon, construction de style troubadour datant de la reine Amélie. Les Allemands s'y étaient installés à la mort de ma grand'mère, et après eux, à la libération, des réfugiés et plusieurs organismes d'entraide, juste le temps de la rendre inhabitable. Le pavillon avait été à ce point délabré, vidé de ses meubles — hormis un piano de concert qui avait résisté à toutes les convoitises — que lorsque mes parents en obtinrent restitution ce n'était plus qu'une ruine coiffant un terrain vague. Vivant sur leurs terres aux environs de Pau, ils préférèrent me l'abandonner. Le piano dut tenter Géro, ou l'aspect très fantomatique de cette grande épave ouverte à tous les vents à flanc de coteau. Nous décidâmes d'y camper. Quand le froid était vif, poursuivant l'œuvre de destruction des précédents occupants, nous brûlions les parquets et les plinthes des pièces que nous n'habitions pas dans celles que nous habitions. Nous donnâmes là des *surboums* assez frénétiques, comme la mode commençait à s'en répandre, au grand scandale des voisins, dont quelques-uns, m'assurait-on, avaient participé au pillage, et qui ne manquaient pas d'alerter la police. Parfois Géro invitait des camarades de la *Schola*, ou des musiciens du Tabou, Jazz et folk-songs équilibrant les séances de musique de chambre. A la lueur des bougies et des lattes de parquet, nos réunions tournaient un peu à l'illusion, à la féerie. Déjà introduit dans certains milieux où nous n'avions pas accès (un Américain! pensez un peu) Géro parvint même à nous amener quelques artistes célèbres ou en passe de le devenir en leur décrivant, je suppose, l'étrangeté du cadre et les côtés « fantomatiques » de nos concerts nocturnes et de nos *jam sessions*. Je revois Cocteau enveloppé d'un plaid et déclamant, à la lueur d'une chandelle dont la cire lui coulait sur les doigts, son poème *Léone*. Les visiteurs qui risquaient la pneumonie en affrontant le froid intense de notre palais d'hiver en revinrent, paraît-il, enchantés de notre jeunesse et de leur courage. Personne n'avait encore perdu le goût de la clandestinité et de ces réunions au bout de la nuit. Quelques-uns, parmi les jeunes qui essayaient ainsi leurs talents, se sont fait, depuis, un nom dans le théâtre ou auprès des mélomanes, et il m'arrive de retrouver certains d'entre eux à la suite d'une représentation ou d'un concert, quelque part dans le monde, lors de la réception organisée ensuite par l'ambassade ou les services culturels. Je suis toujours tenté de leur demander si le pavillon de Meudon continue de se consumer lentement dans leur mémoire aux accents de la *Sonatine* ou du *VIe Nocturne*.

Il est possible que le temps ajoute un peu trop aux sensations artistiques que j'ai pu éprouver là, ou bien celles-ci avaient-elles une autre source... Que voulez-vous, la guerre nous avait sevrés trop longtemps de mouvements et de conquêtes — à part Géro qui avait endossé l'uniforme américain juste le temps de voir la guerre s'achever à Berchtesgaden et à Berlin — nous étions comme grisés d'une liberté encore trop récente, imparfaitement rachetée sur les drames et les sacrifices qu'elle avait coûtés. Nous mélangions un peu tout, Prévert et Mallarmé, Debussy et Sidney Bechet, Bataclan et Claudel, bien décidés à nous assourdir du fracas tout nouveau de notre existence. Ce n'était pas de perfection dont nous avions besoin réellement, mais de découvertes, (hasarderai-je le mot : de dissipation), et de sentir autour de nous le monde indéfiniment extensible. Si les garçons dans notre groupe s'en tirèrent en général assez bien (selon une loi de nature), je dois reconnaître que les filles, elles, y laissèrent parfois quelques plumes. Sans doute avez-vous entendu au concert ou connaissez-vous de réputation l'admirable violoniste qu'est devenue notre grande Maria Krivskaia? Géro l'accompagnait parfois au piano. Elle s'était prise pour lui d'un sentiment si absolu, si violent, qu'on en pouvait concevoir quelques craintes. La chère Maria était un peu forte, pas du tout le genre de filles avec lesquelles on le voyait en général. Comme interprète, elle était loin d'avoir atteint cette clarté de style, cette miraculeuse maîtrise, et son répertoire était alors bien différent de ce qu'il est aujourd'hui. Il n'empêche que je n'entendrai jamais la *Sonate* de Franck comme je l'ai entendue jouée par eux, approximativement peut-être, mais dans la profondeur de ces nuits retrouvées. S'il m'arrive d'aller écouter Maria à Pleyel ou à Carnegie Hall, vous avouerai-je que le plaisir très conscient que j'en retire n'a rien de semblable à « l'envoûtement » d'autrefois. La vie perfectionne notre goût, mais elle émousse aussi certaines émotions.

Pour en revenir à Géro, je crois que le plaisir qu'il se donnait ainsi lui suffisait totalement. Il travaillait peu, et je le rangerais plutôt dans la catégorie des déchiffreurs-nés, des improvisateurs. Rien de suivi. Rien de méthodique. D'autre part Héraclite et Parménide, la poésie baroque, Kierkegaard... devaient l'attirer tout autant. N'ayant aucun diplôme français (je crois me souvenir qu'il avait fait ses études secondaires à *Trinity College* à Dublin) j'imagine que c'est en tant qu'auditeur libre qu'il fréquentait en plus de la faculté des Lettres et de l'Institut d'Art et d'Archéologie, les Langues O, la rue Saint-Guillaume, suivant ici et là un grand nombre de cours et de conférences, mais toujours de façon épisodique. Je serais bien en peine de vous dire quel but précis il s'était fixé. Aucun semble-t-il, sinon de se lancer à la découverte de ce pays qui était celui de son père, mais dont il s'était trouvé séparé pendant de longues années, et dont il s'efforçait d'assimiler la culture avec une curiosité un peu brouillonne et en puisant à trop de sources.

Il était difficile de lui en vouloir. A quelqu'un qui lui demandait quelle était sa nationalité, il a répondu : *mnoé-*

gasque. Il est possible que ce fût vrai, le clan maternel de Nashville n'ayant jamais reconnu l'existence du couple. Mais je ne garantis rien, car il aimait assez berner les gens, ses amis en premier. N'importe, il restait *notre* Américain, bien que le moins certifié conforme parmi tous ceux qui battaient alors le pavé de la capitale en attendant, après épuisement de leurs ressources, de se faire rapatrier aux frais de leur ambassade. Et de plus un magnifique garçon et qui aurait très bien pu, s'il eût été à Yale ou à Harvard, devenir une des gloires sportives de l'université. Le goût du risque physique et même du danger. S'amusant à escalader les façades et à sauter d'un balcon à l'autre... Se rendait-il compte pourtant qu'une grande partie de son ascendant sur le groupe et de ses succès féminins (j'ajouterai aussi ses « entrées » dans le monde), il les devait moins à ses dons, à son originalité, à ses aptitudes diverses, (il a même pratiqué la danse classique) qu'à cette Amérique, à nos yeux prestigieuse, où il disait n'avoir jamais été — ce qui était faux, bien entendu. Géro n'eût pas affiché une attitude aussi dégagée s'il ne se fût senti assuré du soutien matériel d'une famille qu'il affectait d'ignorer.

De ses parents je sais très peu de choses. Les réactions du clan maternel pourraient laisser penser qu'ils n'ont jamais été mariés; qu'ils s'étaient très vite séparés. Que Géro portât le nom de sa mère donne du poids à cette hypothèse. Je n'ai pas retenu celui de son père, juriste auprès de la cour internationale de la Haye. Là encore rien de certain. Les choses pour ce dernier s'étaient terminées au plus mal : par un suicide. Peut-être existe-t-il au Quai un dossier sur cette affaire. En tout cas, j'en ignore tout, de même que j'ignore si Géro — « notre Virginien » comme l'appelait Maria Krivskaïa bien qu'il n'eût aucun lien avec la Virginie — a fait, alors qu'il était tout enfant, des séjours auprès de son père. En revanche, je me souviens fort bien comment il le désignait, utilisant l'épithète en usage à Nashville :

« ce maudit Français ». Géro m'a toujours paru assez vain d'être le fruit de cette malédiction et de ce métissage.

Plus grave était sa brouille avec sa mère depuis que celle-ci, ayant regagné les États-Unis un peu avant Munich, s'y était remariée et avait eu le mauvais goût de lui donner deux demi-frères. Les portraits qu'il en faisait étaient assez campés : « fragile et impérissable, furieusement personnelle. » C'est dans son sillage qu'il avait vécu jusqu'à seize ou dix-sept ans, pris dans cette destinée orageuse, virant d'un bord à l'autre de l'Atlantique, sillonnant constamment l'Europe, agitation qui, jointe aux circonstances de sa naissance, lui permettait de se dire de nulle part. On peut imaginer ce qu'avait été son existence à côté de cette femme, belle et étrangement instable, souvent aux abois, maniant les pinceaux et le couteau à palette, courant les académies entre la France, l'Allemagne et l'Italie, ainsi que les psychiatres, n'ayant jamais eu pour meubles que des valises, des cartons à dessin, et qui malgré certaines déconvenues, les doutes qu'elle éprouvait tout à coup au sujet de ses talents, continuait à penser que les artistes ne peuvent vivre et réussir qu'à Paris, à Berlin, à Bâle ou à Milan. Elle avait des périodes de grande nervosité, ensuite de dépression, dont elle émergeait tout à coup, aussitôt en flèche, bien carénée dans le vent, toujours dans sa ligne d'envol.

Pourquoi ne pas en croire Géro sur parole? Pourquoi ne pas admettre que le résultat le plus clair de l'incompatibilité d'humeur entre ses géniteurs avait été de faire de lui un étranger sur deux continents, en Amérique et en Europe, et de ne lui laisser d'autre choix que ses antagonismes?

L'amitié entre nous (j'ai dit plus haut la camaraderie) aura été de courte durée. Elle reste pourtant un des points lumineux de ces tristes années (elles nous semblaient grisantes) où le Vieux Monde, qui avait résisté à la guerre, a commencé à se défaire et à s'en aller par petits bouts. Que vous dire de plus de Géro? C'était un garçon extraordinaire par le physique, attachant par ses dons, son intelligence, mais irritant à certains moments, avec des pointes de snobisme, et en définitive difficile à cerner — en somme un peu dangereux si l'on avait le malheur de s'attacher à lui. Il nous est arrivé de partir sac-au-dos pour aller visiter Chartres, Vézelay, la Bretagne... Mais combien de fois lui est-il arrivé de disparaître, sans que je sache dans quelle aventure il s'était lancé. Peut-être lui en ai-je tenu rigueur? Comme à beaucoup de jeunes gens venus à ce moment d'Amérique et qui découvraient dans nos pays dévastés une liberté pour eux sans risques, je crois que Paris à ce moment lui était plutôt nocif. Mais je peux me tromper. Je ne voudrais pas m'embarquer dans un jugement définitif. Parler d'une amitié de jeunesse est toujours hasardeux quand trop d'événements de toute sorte ont à ce point modifié la face des choses et surtout changé la nature des sentiments qu'on pourrait éprouver pour le même être si on se retrouvait en face de lui.

Géro était à la fois très ouvert aux autres et en même temps pris entre l'artifice et la sincérité. Impossible par exemple de sonder à fond les sentiments qu'on lui inspirait, ce qui mettait dans les rapports à long terme une sorte d'insécurité. Quand je fus envoyé en Allemagne pour mon service militaire, il se trouvait absent. Je ne crois pas que l'idée lui soit jamais venue de m'écrire.

Je ne l'ai revu qu'une dizaine d'années plus tard à Beyrouth. Toujours aussi magnifique, plus mince, plus élancé, légèrement penché en avant comme s'il cherchait à déchiffrer des signes inscrits au sol. Cela m'a frappé. Il devait s'exposer beaucoup au soleil car il était très bronzé; on aurait dit qu'il venait de passer un mois dans le désert. Je fus frappé aussi par l'étrangeté de sa mise, une sorte de négligence concertée. On n'y prêterait guère d'attention aujourd'hui. Cheveux dans le cou, tunique flottante, *blue-jean* effiloché sur les pieds nus dans de bizarres spartiates... Je me suis dit : tiens, Géro donne dans le genre rapin. Il portait aussi un collier à gros grains; malgré ces dehors que je jugeais provocateurs, l'ensemble, je dois le reconnaître, s'équilibrait assez bien. Il avait l'air de faire de la figuration dans un film.

Dans le restaurant où nous entrâmes, le maître d'hôtel recula en le voyant, et tous les regards le suivirent pendant que nous cherchions une table. Comme il était de ces êtres que les gens observent avec une sorte d'avidité, à la fois hostile et admirative, cette curiosité insistante ne semblait guère l'importuner. Nous formions un curieux assemblage, mais je cessai assez vite de me demander ce qu'on pouvait penser autour de nous. Le passé affluait par vagues successives, et bientôt nous nous trouvâmes complètement isolés. Je subissais le même attrait qu'autrefois en face de Géro. Pourtant entre le garçon que j'avais connu à Paris et l'homme que je retrouvais ce jour-là la parenté n'était pas tellement évidente. Je lui dis que j'étais marié. Je pressentais chez lui un changement, une exigence différente de toutes celles que j'avais pu lui prêter quand nous vivions à Meudon. Comment deviner quelle avait pu être sa vie pendant ces dix années? Il m'apprit que sa mère était morte. « Que fait-on? » lui demandai-je quand nous nous retrouvâmes sur le trottoir. Nous n'avions échangé que quelques souvenirs, des propos qui ne nous apprenaient pas grand'chose. L'habituelle galerie de portraits qu'arpentent deux copains longtemps séparés passant en revue leurs connaissances d'autrefois. Il se souvenait de beaucoup de détails, accrochait des visages, mais avait le plus souvent oublié les noms. Avait-il connu depuis tant de gens? traversé tant de pays? Et pourquoi le retrouvais-je là au Liban? Il ne semblait pas très argenté, bien qu'il eût l'air assez à son aise dans cette pénurie — très faussement j'en découvrais les signes dans ce bizarre appareil vestimentaire. Cette pauvreté le situait sur des terres inconnues, lui que je n'arrivais pas à détacher de cette sécurité financière qui nous le rendait autrefois si remarquable. Nous allions nous dire adieu, sachant parfaitement que nous n'aurions pas d'autre chance de nous revoir. Si nous nous quittions sur une poignée de main, ce serait sans avoir été à aucun moment à la hauteur de cette circonstance unique. Tout s'était maintenu à peu près intact dans le souvenir, et l'image de cette maison saccagée, livrée depuis aux démolisseurs, complètement effacée dans un paysage devenu tout autour méconnaissable, restait comme à jamais fixée. Allait-elle s'effacer à son tour et nous devenir des étrangers? Géro hésitait. S'il apparaissait que nous n'avions plus rien à nous dire, nous consommerions d'un coup cette œuvre de destruction, et l'étrange palais nocturne s'effondrerait couvrant de débris les profondes cavités où se répercutait autrefois l'écho des instruments et de nos tapages qui scandalisaient les voisins.

Je lui ai offert de venir boire un verre chez moi. J'attendais tout de lui, sauf une confidence touchant ce qui avait produit en lui cette évolution spectaculaire. Et pourtant elle vint. Géro me parla d'abord de l'Europe avec un singulier détachement et de la France en particulier comme s'il pensait ne plus avoir grand'chose à attendre de ce côté. Cette déception, déjà sensible chez pas mal de jeunes gens de chez vous, est devenue depuis en Amérique la pierre angulaire de toute une génération. Restait l'Orient. Restait l'Asie. D'où lui venait cet enthousiasme? Moi qui vivais depuis des années sur le bord de cette marmite aux émanations menaçantes je n'étais pas tellement persuadé que c'était de là qu'allait jaillir la lumière. Des tas de conflits en perspective... Mais ce n'était pas de cela qu'il était question. J'appris avec étonnement qu'il s'apprêtait à rejoindre en Iran une mission qui fouillait des tombes achéménides et que son grand dessein était d'aller au-delà et de rejoindre — Dieu sait comment! — une mission soviétique qui travaillait à Nisa, puis de s'enfoncer encore plus loin, au-delà de l'Oxus, jusque dans l'ancienne Sogdiane.

La conversation prit un tour singulier. Malheureusement ma mémoire ne me permet pas de vous la rapporter en détail. D'autre part, n'étant nullement un spécialiste dans ces questions d'archéologie, j'étais quelque peu dépassé. Une telle orientation que rien n'avait laissé prévoir montrait un homme fasciné et, me semblait-il, se jetant dans toutes les directions à la fois au lieu de se fixer un programme de recherches et d'essayer de s'y tenir. Je le laissai dévider des connaissances qui ne me permettaient guère de lui donner la réplique. Tout y passa : les textes sumériens et hittites, les nouvelles méthodes qui permettent de repérer les sites et de dater les objets, la glyptique parthe, les origines grecques de l'alphabet kouchan, et quantité d'autres sujets similaires, jusqu'au moment où il finit par se rendre compte que je ne le suivais pas. Il se tut, acheva son whisky, et je compris que ce geste annonçait son départ.

J'étais un peu abasourdi par cet énorme brassage de peuples et de civilisations. Et que savais-je moi de tous ces dieux, Mardouk, Ishtar, et tous les autres?... Babylone et Assour, parfait! Mais la musique, que faisait-il de la musique dans tout ça? Se rappelait-il nos soirées, ses doigts engourdis par le froid retrouvant leur souplesse sur le clavier? Jouait-il encore du Brahms, du Fauré?... « J'ai pris en horreur tous ces grelottements distingués! » J'ai compris que non seulement ses goûts avaient changé mais qu'il n'accordait plus beaucoup de place à la musique en marge de son nouvel emballement... à moins qu'elle ne vînt de plus loin... de Bali... ou du fond des forêts védiques!

— Pourquoi l'Asie?

Il haussa les épaules, se carrant de nouveau sur les coussins du sopha. Sa réponse dut être quelque chose comme : « ... parce qu'en Asie rien n'est jamais achevé ».

Ce n'était ni très neuf, ni très probant. Je faillis lui dire qu'il n'était pas le premier à tourner le dos à l'Europe; qu'à chaque génération... Rimbaud, Ségalen... etc. Mais lui que pensait-il trouver au milieu de ces ruines, sur ces rivages achérontiques où le temps s'est déposé en particules infimes, en vagues débris? Croyait-il œuvrer valablement pour les autres et pour lui-même? Rejeter une civilisation jugée agonisante pour s'enfermer dans le passé au milieu de civilisations aussi mortes que celle-là, me faisait l'effet d'une fuite, d'une régression, quand on n'était pas un savant, un paléographe. Chasser le tigre ou les éléphants, ne m'eût pas semblé plus gratuit dans son cas que cette nouvelle lubie.

J'ai dû lui dire mon point de vue sans plus de ménagements, avec la même sincérité que je mettais autrefois à accuser tout à coup nos divergences. Il s'est repris au jeu.

— Tu ne peux pas comprendre, tu ne peux pas savoir... je m'en fiche au fond, mais c'est passionnant... on avale de la poussière et des mouches, on risque de se faire piquer par des scorpions, on a soif... on se promène à quatre ou cinq millénaires en arrière... ça rend le goût de vivre!

J'avais beau être pour lui à ce moment un fichu bourgeois, marié, père de deux enfants... je comprenais que pour en avoir perdu le goût il avait dû passer par certaines déceptions. Où était notre champion, notre jeune dieu virginien capté par toutes les tentations qui passaient à sa portée?

— J'ai essayé des tas de trucs... Paris ou Londres, New York ou Honolulu, c'est du pareil au même. Plus rien à glaner. Et ces religions auxquelles personne ne croit plus, qui voudraient se changer en meetings, en soupes populaires, en institutions pour la jeunesse délinquante... Alors on regarde ailleurs. C'est plein de chapelles, de cercles dans lesquels on entre sur la pointe des pieds et où on vous enseigne à se regarder le nombril... initiés toutes catégories, maîtres et disciples. Une drôle de clique. Des timbrés, des fumistes, des folles du meilleur monde qui se prennent pour la réincarnation de Marie-Magdeleine, d'Agénor d'Aquitaine ou de Marie-Antoinette. Bergers sans troupeau. Troupeau sans berger. Dans le tas, quelques purs, quelques voyants authentiques... Moi aussi je cherchais, je voulais à toute force me libérer.

De quoi, grand Dieu? Je n'avais jamais croisé un être moins contraint, moins contrarié dans ses instincts et ses réflexes, moins assujetti à des façons de penser, à des idéologies. Mais je n'avais qu'à l'écouter pour le savoir, et j'étais là en somme pour ça, pour enregistrer ses discours, — lesquels prouvaient que la phase des apprentissages était fort loin d'être bouclée et risquait fort, hélas, de ne l'être jamais. Cette fois nous étions à nouveau dans le bain, portés par les grandes considérations générales, ce qui n'a jamais fait de mal à personne.

A l'en croire, sa « libération » s'était faite moins par étapes que par rejets successifs : l'Amérique, l'Europe, un tas de vieux poncifs religieux ou moraux, et surtout, après la disparition de sa mère, la famille, l'argent que celle-ci avait cessé de lui faire parvenir. Plus de dollars, plus de subsides! Rien que ses jambes pour le porter à travers le monde! « Prodigieux! N'est-ce pas prodigieux?... Tu ne peux pas savoir. Sinon, tu ne ferais pas le métier que tu fais! »

Non, je ne pouvais pas savoir. Je ne pouvais pas saluer comme une libération une pareille ascension dans le vide, moi si bien enraciné dans ces vieilles terres ancestrales qu'il prétendait brader contre des déserts, des sarcophages, des papyrus enfermés dans des jarres. Moi qui gardais toujours dans l'oreille le bruit du gave au pied de notre maison du Béarn. J'étais consterné. S'il continuait ainsi il allait bientôt filer de la laine, élever des moutons, se scarifier les joues, se soumettre à de barbares initiations...

— Et ce n'est pas tout... Si je te disais, pour te prouver que j'ai vraiment fait le tour, que j'ai failli me faire moine...!

— Au Thibet?

— Mais non, dans un couvent de chez vous... crasseux et humide, bien qu'ils y aient fait installer des douches. Ils en sont là : l'hygiène!

Géro le crâne rasé, Géro sous la bure et enfermé dans une cellule!... Il ne me laissa pas le temps de souffler. Mais je refusais encore de le croire. Tout peut arriver à un Américain en virée en France sauf d'aller s'enfermer à la Trappe — ça ne s'était jamais vu. Je le revoyais lisant à haute voix le *Narcisse* au milieu d'un cercle d'admiratrices assises autour de lui sur le parquet. Comment oublier ça?

— Toi, dis-je, ce qu'il t'aurait fallu c'est le taurobole... une religion à mystères.

— Il n'y a plus de mystères.

— Je sais... tu vas me dire que Dieu est mort.

— Pas partout... chez vous, chez nous, sans aucun doute. Essaie donc de leur parler du miracle... Lève-toi et marche! Qui croit encore à ça?... Les dieux vivent très loin des hommes... dans le passé... c'est dans le passé qu'il faut aller les chercher.

Était-ce cela? Géro semblait sûr de son fait. Il revenait vers ces dieux, persuadé qu'ils ne peuvent mourir, tous tant qu'ils sont; qu'en eux l'avenir reste net de tout ce que les hommes croient inventer. J'avais beau interroger mes souvenirs, jamais nous n'avions parlé de religion. Toutes ces pratiques rattachées au culte le laissaient indifférent, voire sur la défensive, et je n'étais pas loin de penser qu'étant passé par un *college* protestant il gardait quelques préventions contre les rites et le *popish clergy*. En fait, contre tous les rites, à quelque dénomination religieuse qu'ils appartinssent, agacé par ce qu'il considérait comme d'incompréhensibles survivances totémiques. Une anecdote significative me revient à l'esprit : convié à assister à une circoncision il était revenu furieux, scandalisé, et m'avait fait un récit horrifié de cette « répugnante ablation ».

Quel bouleversement intérieur pouvait avoir modifié à ce point ses réactions profondes ou épidermiques en face de ces coutumes rituelles ?

— Mais, lui dis-je, tu n'es même pas baptisé. Tu t'en vantais suffisamment. « Je ne suis pas inscrit à votre club », me disais-tu quand je me rendais à l'église.

— Justement, j'ai eu l'impression qu'on m'avait caché quelque chose qui valait d'être tenté, essayé... Il fallait donc y aller... voir si ces gens avaient quelque chose à transmettre.

— Alors tu t'es converti ?

— Non, mais quand on venait d'où je venais, quand on était passé par où j'étais passé, c'était la pointe extrême du défi. Je ressentais une inquiétude dont je ne parvenais pas à me défaire. J'avais besoin, absolument, si je voulais continuer dans une certaine voie que je m'étais tracée de traverser cette expérience pour bien me persuader qu'il n'y avait rien pour moi de ce côté.

— Tu voulais te fâcher avec Dieu, le Dieu unique, pour mieux te concilier les autres.

— ...comprendre seulement, comprendre pourquoi cet immense appareil ne formait plus une chrétienté, pourquoi le sanctuaire était vide, l'autel profané par les iconoclastes.

— Et tu as compris cela ?

— Tu n'imagines pas comme *ils* m'y ont aidé.

Et Géro m'a alors raconté son aventure : la nécessaire, l'indispensable « crise mystique ». A-t-elle précédé ou suivi les premières phases de sa « libération » ? J'imagine qu'elle en fait partie. Quand j'y repense aujourd'hui, quand je m'efforce de comprendre ce qui s'est vraiment passé, je me dis que tout aurait pu tourner de façon différente; qu'un brave curé qui trouve encore le temps de lire son bréviaire, ne met pas au rancart saint Joseph et sainte Philomène, eût pu le tirer de là. A qui a-t-il eu affaire? Sans doute à un de ces prêtres dans le vent, bien situés dans le milieu intellectuel — un pas vers l'université, un pas vers les syndicats — et qui a tout de suite mesuré la prise, la retentissante conversion. Mais je me trompe peut-être. Je juge de trop loin, ne possédant que la version que Géro donnait des faits. En tout cas, le voici dans un couvent très à la page malgré le cadre vétuste; novices en *blue-jeans* et cols roulés plus occupés de Freud et d'Artaud que de Tertullien ou de saint Bonaventure. Toutes les avant-gardes du moment avaient dans ces cellules des laudateurs, des contradicteurs, des exégètes. Quand la discussion abandonnait Le Corbusier, elle repartait de plus belle sur Germaine Richier, Messiaen ou Varèse. Géro avait cru s'enfermer dans un *ashram*, ses compagnons l'assourdissaient d'aperçus brillants sur tous les sujets imaginables. Et quels censeurs! Quels beaux spécimens d'intelligence et de savoir! Leur grande préoccupation semblait être d'ouvrir ainsi des fenêtres dans les murs de la clôture; celle-ci loin de les protéger du monde extérieur avivait au contraire leur curiosité et semblait aiguiser leurs perceptions. Ce n'était pas ce que Géro venait chercher. D'autres remarques retenaient son attention. Tout le merveilleux, l'ancien merveilleux chrétien, l'ancien symbolisme, semblait s'être réfugié dans une poésie dont il voyait certains de ces garçons caresser secrètement les arcanes, respirer les plus inquiétants effluves. Ceux qui repoussaient avec le plus de mépris les diableries du curé d'Ars entraient en transe devant de sublimes négateurs qui n'avaient cessé d'immoler la foi à leurs visions, aux songes, à l'alchimie, à cette splendeur intemporelle du verbe. Le mystère se transposait dans la pureté du blasphème. Une autre religion allait-elle naître? Était-elle déjà née?

Que Géro ait considéré le monde qu'il avait sous les yeux

comme l'exacte réplique de celui qu'il venait de quitter, c'est la conclusion que l'on peut tirer de son récit. Je ne le donne d'ailleurs que pour ce qu'il vaut. La règle monastique a souvent admis le divertissement, mais arrivant là en néophyte, désirant surtout s'y trouver « à distance » du monde extérieur, il s'étonnait de l'attrait que celui-ci gardait pour ces jeunes gens dont beaucoup ne rêvaient que de faire le mur pour aller voir en ville le dernier film de Carné, la dernière pièce d'Audiberti ou de Crommelynck.

On l'avait logé à l'étage des retraitants, mais il était le seul à ce moment à l'occuper. Un doute subsistait malgré tout dans son esprit : ne se laissait-il pas trop facilement dérouter par des apparences? Il était tout près d'admettre que beaucoup parmi ces novices, même ceux qui se défendaient le moins des tentations de l'esprit et de certains mirages affectifs qui les faisaient trébucher, restaient en eux-mêmes sincères et irréprochables. En somme il guettait un *signe* : un signe qui l'éclairerait définitivement, sans qu'il pût dire s'il l'attendait du hasard ou de la providence.

Une nuit, alors que les moines venaient de quitter la chapelle et de regagner leurs cellules, il était demeuré assis, tout au fond de la nef. Une seule flamme brûlait au-dessus du tabernacle. Géro se laissait fasciner par ce sombre halo; la pointe incandescente de ce tison semblait indiquer l'entrée d'un labyrinthe. Bien qu'il sût que la chapelle restait ouverte la nuit, que les pères ou les novices pouvaient à tout moment venir y prier, l'idée lui vint tout à coup qu'on l'y avait enfermé. Il se dirigea donc en tâtonnant vers cette lumière qui seule lui indiquait une direction. A droite de l'autel se trouvait la porte par laquelle les moines s'étaient retirés. Déjà il foulait le tapis qui recouvrait les dalles à proximité du sanctuaire. Il lui fallait donc s'écarter vers la droite; mais à peine avait-il fait un pas sur le côté qu'un bruit épouvantable se répercuta sous les voûtes.

Il venait de heurter du pied le vase d'aspersion resté à l'entrée du chœur, et tout le contenu s'en était répandu.

Si je me reporte à la version qu'il m'a donnée de cet incident, Géro avait éprouvé une bizarre commotion. Il s'était senti violemment rejeté, chassé du temple. Quelques minutes plus tard, il quittait le couvent.

Ainsi s'était achevée cette tentative : par ce dérisoire événement qui lui avait laissé, même par la suite, une curieuse impression de profanation. Cette nuit-là, à cette minute, les ponts avaient été coupés entre lui et ce Dieu inconnu qui avait refusé de lui révéler son vrai visage. Il ne le retrouverait que derrière des visages humains, au fond de certains gouffres, ou dans l'intimité de la nature increéée. »

L'autre réponse — il s'agit en fait d'un montage où j'ai rassemblé la matière de plusieurs lettres reçues du même correspondant — plus intéressante sous l'angle personnel, semble encore plus systématique dans le sens destruction du sujet. Rien d'autre qu'un constat négatif, mais assorti de preuves multiples.

On pourrait s'étonner que ce *témoin* ait passé tant de temps à établir ce bilan d'une existence, et si bien construit sa diagnose, alors que la faillite de Géro était pour lui si évidente. Disons qu'il s'est amusé. Je ne vois pas d'autre explication à cette sorte d'allégresse qui le soulève en face du personnage qu'il raconte, et qui le maintient en haleine tout au long de cet exposé clinique tournant au réquisitoire.

Bien sûr il s'agit avant tout pour lui de défendre le maître contre une accusation qui si elle était retenue ne pourrait être qu'infamante pour sa mémoire. Le mieux n'était-il pas d'inscrire sur la fiche de Géro tous les signes caractériels que le spécialiste de ces maladies de la personnalité ne pouvait manquer de relever. Mais ce brave médecin suisse ne se contente pas de juger celui-ci à partir de certitudes inattaquables — un seul malade ne lui suffit pas — il me propose également ses services, met à ma disposition toute sa science de neurologue, d'autant qu'ayant cédé son cabinet de consultations il pourrait consacrer tout le temps nécessaire à ma guérison. Les questions que je me pose au sujet de Géro, comment naîtraient-elles dans un esprit parfaitement équilibré et raisonnable ? Il voit dans mon obstination des traces morbides. Au cours de cette longue et foisonnante analyse il reprend, point par point, tout ce que je lui ai moi-même appris concernant ma rencontre avec Géro. Ceci m'évitera d'y revenir par la suite.

Pour lui toute l'affaire est jugée d'avance. Une seule chose en définitive semble le retenir, l'intéresser, c'est mon *cas*, mon étrange folie. Tout cela ne peut avoir été repris que par quelqu'un atteint de quelque névrose, à ses yeux psychopathe.

« L'important c'est d'avoir mauvaise réputation!... Voyez-vous j'ai toujours pensé que s'il eût rassemblé les événements de sa vie — un plaidoyer *ad hominem* qui tournerait au *Traité sur la vanité du moi* — telle eût été sa première phrase. Pour ne pas craindre les jugements il avait pris le parti de les devancer. Il y a là de l'ingénuité, du défi. Pourtant nous savons bien ce qu'il en est. Le monde est trop avare, et même de son mépris. En fait il n'a jamais réussi à fixer durablement les regards sur ses gesticulations au centre de la piste. Tout ça n'a abouti qu'au plus invraisemblable gaspillage, à la plus dramatique destruction.

Son cas?... Je vous dirai d'emblée ce que j'en pense, au risque de vous choquer. Un cas tout à fait banal. Une agitation. Un délire qui avait pris la forme — des plus courantes — de l'identification. Il admirait Andréas Italo Atarasso, donc, de toute évidence, Andréas Italo c'était lui. Rien de plus simple.

Que d'aucuns (vous-même) aient pu balancer et s'interroger sérieusement, examinant avec soin, reprenant une à une les raisons qu'il se permettait d'alléguer, prouve... Non, je ne vous dirai pas ce que cela prouve. Les gens ne demandent qu'à avaler des couleuvres, et celle-là était de taille. Que ne voient-ils ce que nous autres médecins pouvons observer chaque jour! Que n'ont-ils comme nous les oreilles pleines des revendications intempestives de nos malades, de leurs repentirs, de leurs sarcasmes! Que n'ont-ils sous les yeux leurs petits *gadgets* cabalistiques tendant à emprisonner le hasard dans les grilles de leurs rébus et de leurs mythomanies! Il faut savoir résister à leurs obsessions, apprendre à les écouter sans broncher. Je revois le vieux père Blondel recevant d'un malade qu'il interrogeait un matin à Sainte-Anne une gifle à lui décrocher la mâchoire et continuant comme si rien ne s'était passé. Nous en tremblions, pénétrés d'admiration et de respect. Pourtant c'était pure routine. Quelle autre attitude pourrait avoir un psychiatre? En fait il ne s'était rien passé. C'est la différence entre la névrose et le génie, entre le cri qui s'échappe d'une camisole et la parole pythique.

Mais revenons à votre ami. Il n'a jamais souffleté de médecin, mais le bon sens, la vérité elle-même. Je ne lui refuse pas d'avoir eu des dons, de la fantaisie à revendre — plutôt hélas dans le sens de l'hyperbole que de la litote. C'est la pente de l'instabilité. Un peu moins de possibilités l'eût mieux aidé à se définir.

Ne s'avisa-t-il pas de remplacer au pied levé — c'est bien le cas de le dire — un jeune danseur de la troupe de Monte-Carle qui, la veille, s'était précipité du haut du Trophée des Alpes! Personne n'avait à ce jour détecté chez lui cette aptitude. Et le voilà, dans le faisceau des projecteurs, soudain icarien, subrepticement miraculeux, au milieu des elfes, des péris, des ondins, prince butinant sa fée, aurige du soleil, automate ou pantin, serpent à plumes, inouï de précision dans cette géométrie spatiale; puis tout à coup, saisi du vertige sacré, habité par les dieux, traversant en inspiré, en somnambule la grande nuit walpurgienne.

Je l'ai vu, j'y étais : je puis donc en parler avec la certitude de ne pas avoir rêvé cette métamorphose, d'avoir même mené les rappels. Pour s'étonner, on s'étonna. Ce fut sa grande réussite cette fois-là de provoquer un tel étonnement dans tout le gotha monégasque, et encore le lendemain dans les salons de l'Hôtel de Paris. Sa fantaisie s'enracinait dans une discipline des plus sévères et des moins accessibles au profane. Mais les gens du monde n'aiment guère se sentir pris de court; la surprise ruine le masque et donne l'air d'arriver de Saint-Flour. Il leur fallait donc trouver une explication. Plutôt que d'admettre qu'une telle science des pas et des figures pouvait découler d'une révélation subite, on préféra penser qu'il avait menti sur ses antécédents et que de telles aptitudes trahissaient d'autres apprentissages dont nul jusqu'alors ne s'était avisé. Il y eut même des gens pour dire qu'ils l'avaient vu au *New York City Ballet* et que, de même que certains hommes fréquentent régulièrement le manège ou la salle d'armes, lui avait gardé l'habitude de « faire sa barre » tous les matins chez Zvereff ou chez Zambelli. Le cher et délicieux garçon, comme on en raffolait! Décoratif, et mieux encore : inclassable! Lancé comme une météorite dont on ne sait ni d'où elle vient ni où elle ira atterrir. Pourtant, au niveau des ressources personnelles, quelques difficultés adjacentes à cette réussite momentanée chez les snobs. Or justement cet engagement au théâtre pouvait lui ouvrir d'autres perspectives et, pour répondre au plus pressé, lui permettre d'éponger quelques dettes. Il allait donc cesser de vivre d'expédients et, pour la première fois, vivre de son travail, ce qui lui éviterait à l'avenir, pour combler cette pénurie chronique, d'avoir à se faire inviter sur des yachts toujours ancrés dans le port — leurs propriétaires ayant horreur de la mer — ou encore — autre forme de contrainte par corps — chez de vieilles juments endiamantées qui ne lui demandaient d'ailleurs guère plus que de les accompagner au Casino jusqu'à la porte du *privé*.

Malheureusement ce succès commençait à lui peser, qui mettait à ses trousses impresarii et échotiers — ces derniers n'hésitant plus désormais à ponter sur son étoile et à le mélanger dans leurs papiers à des personnes de sang royal. Il avait préféré briser la coupe (du succès) sur le rocher, et disparaître à la chute du rideau, comme si les ovations gonflées en rafales vers la troupe venue saluer à la rampe menaçaient de dispersion ce que de toute évidence il n'avait jamais cessé d'être à ses propres yeux : poussière et cendre! Cette fois on s'émut, et jusque sur les hauteurs de la Turbie. On en parla sur ces gradins où s'assemblent, au terme de leur migration saisonnière, les mêmes stars ou leurs sosies, les mêmes milliardaires, les mêmes rois détrônés, les mêmes chevaliers de Malte, les mêmes joueurs à la poursuite d'une martingale infaillible, tous à la recherche d'un point d'équilibre, tantôt auprès de quelque prince romain autrefois dévolu au service de la patène ou de l'aiguière papale, tantôt auprès de quelque créature oubliée et mystérieuse passant ses journées sans sortir, derrière des stores baissés. J'imagine que des télé-objectifs durent se braquer sur la dernière plate-forme du Trophée dans l'attente d'un événement encore plus sensationnel que les débuts de votre ami. N'allait-il pas en effet, réitérant le geste du garçon dont il avait pris la place et obéissant à Dieu sait quelle nécessité morbide, s'identifier à ce dernier au point de se jeter à son tour dans le vide? Mais les choses tournèrent autrement. On devait retrouver sa *Maserati* (louée à la journée dans un garage) devant le massif de rhododendrons de l'hôtel. C'était bien le pire moyen d'en terminer pour quelqu'un qui a réussi à se faire prendre au sérieux. Rien pourtant ne masque mieux une fuite que le scandale. En bref, il s'était moqué de tout le monde et n'avait même pas honoré son contrat. Mais où l'atteindre?

Quant à lui, ayant chaussé ses fameuses sandales à brodequins (dont il prétendait avoir trouvé le modèle sur un sarcophage antique), rangé dans sa gibecière son carnet de croquis, un chapelet japa-mala, un exemplaire du *Livre des Morts*, un éclat de roche ramassé à Delphes dans le périmètre des oracles, j'imagine qu'il dut se faire embarquer en auto-stop à la limite de l'état princier par quelque gros Belge au volant d'une puissante machine américaine. Avant de disparaître ainsi ou autrement — une décapotable conduite par une nymphette dans les lacets de la moyenne corniche n'est pas à écarter, mais il se peut aussi qu'il soit parti à pied par les chemins de l'intérieur — il avait fait le geste de virer au compte de la souscription ouverte pour le monument funéraire du jeune suicidé de la Turbie tout l'argent qu'il avait pu gagner pendant ces représentations. Si peu soucieux qu'il ait jamais été sur le chapitre des ressources quotidiennes, au moins doit-on lui reconnaître cette sorte de délicatesse ou de pudeur métaphysique : ne jamais contracter de dettes avec l'Au-delà!

Ce ne fut là qu'une phase — il importe de le souligner — un épisode dans la chaîne de ses transformations. Beaucoup restaient à sa portée. Volonté très concertée de ne livrer de soi que ces divers aspects fantasmatiques, alors que l'identité du sujet resterait incontrôlable et hypothétique.

Tout ceci, voyez-vous, ne fait guère problème, mais permet d'éclairer la suite et d'avancer vers une conclusion, en fait déjà acquise. Beaucoup de gens pourtant se sont laissé prendre qui, il est vrai, n'hésiteraient pas à reconnaître dans un fond de loge de la Fenice ou du théâtre de la Margrave à Bayreuth la silhouette du comte de Saint-Germain ou de Cagliostro pour peu qu'une personne de leur monde leur en révèle la présence en leur demandant de garder le secret. Les gens n'ont plus la pudeur d'être des gogos. Et il le savait mieux que quiconque, lui qui, même s'il choisissait de refaire surface à Venise ou à Saint-Moritz, à Hammamet ou à Estoril, au *Harry's Bar* ou chez *Palmyre*, lors d'une vente chez Sotheby ou à l'occasion d'un vernissage très parisien, était toujours salué comme s'il sortait d'un couvent de bonzes, venait de passer six mois dans les macérations et les exercices spirituels, face à face avec son gourou, ou mieux encore parmi les sorciers dans un village des Andes.

C'est un grand avantage de pouvoir laisser aux autres le soin de vous bâtir une légende. Mais vous me permettrez d'opposer un scepticisme raisonnable à toutes ces entreprises dont le résultat le plus net aura été de l'enfermer dans un cercle de mirages et de simulations. Beaucoup plus funambule que colporteur d'énigmes. Plus mystificateur que messager servant à relier entre elles toutes les chapelles occultes qui peuvent subsister de par le monde en marge du capitalisme, de la famine, de la révolution chinoise et de la conquête spatiale. Il s'en faut qu'il se soit toujours situé à ce niveau, poussant des reconnaissances à travers l'Europe et l'Asie afin de retrouver les sentiers des compagnonnages, de la théosophie, de l'illuminisme. Ce n'était là qu'un air qu'il se donnait, et il était homme à s'en fatiguer. Je n'en veux pour preuve que sa facilité — tablant sur la confiance de son public, la candeur et la crédulité de cette race d'oisifs — à passer de l'édification au canular pur et simple.

Ainsi, assistant au mariage du prince Alexis avec un mannequin de chez Grès, on le vit tout à coup quitter sa place, grimper l'escalier à vis du jubé, faire le tour du déambulatoire accroché à la balustrade, enfin, parvenu à la tribune, bousculer l'organiste en titre de la collégiale, prendre sa place aux claviers sous les regards médusés des chœurs de Santa Cecilia appelés en renfort, et attaquer la grande *Toccata*. Le diable n'eût pas été plus à son aise sur cette banquette, enveloppé des vapeurs de soufre s'échappant du pédalier. Il y menait un tel vacarme que les oiseaux nichés sous les voûtes se mirent à tournoyer follement dans la nef, chassés par cet orage, et sans retrouver d'issue vers le ciel libre. Le prince Alexis refusant de lancer ses gorilles à l'assaut de la tribune, on crut que ce sensationnel *happening* avait été imaginé par lui afin de rehausser le rituel par une note psychédélique. L'ordre et le cérémonial de la sortie en furent bouleversés. Au lieu de mitrailler à bout portant les altesses descendant par couples vers le porche, tous les *papa-*

razzi tournant le dos aux Orange, aux Nassau, aux Grimaldi, aux Battenberg, refluèrent vers la tribune, leurs caméras à bout de bras comme des hommes-léopards qui traversent une rizière en brandissant leurs fusils et leurs lance-flammes au-dessus de leurs têtes. Il leur avait déjà faussé compagnie. Mais si le mariage *fit* trois pages de *Life* et six de *Match* et d'*Oggi*, c'est bien à lui qu'en revient le mérite.

Changeant sans cesse de registre, tour à tour astrologue, interprète des signes, cabaliste mondain, et dans une autre série passant aux emplois de bouffon, de cascadeur... Ne me demandez pas de sonder le sérieux d'une telle dérision de soi-même ni de saluer dans cette suite d'avatars, d'incarnations antithétiques — chiropracteur, spéléologue, cristallographe, garçon de bain au hammam... quoi encore? — je ne sais quel symbolisme intentionnel, je ne sais quelle danse voulant exprimer le grand cycle des métempsychoses, ou selon vous — et permettez-moi de vous en faire la remarque : interprétation bien mal accordée à ces pirouettes — voulant traduire « l'éternel brassage des apparences et des possibles dans la chaîne du devenir ».

Laissons de côté ces chimères. Si au centre de cette roue flammée il évoque pour vous l'image de Çiva, j'estime quant à moi que sa destinée aura été marquée plus par les influences délétères du grand dévastateur que par les pouvoirs fécondants, la magique fertilité du dieu également représenté par le symbole phallique. Mais ne nous égarons pas. Ce que je voudrais souligner, c'est le produit purement négatif d'une telle fermentation. Qu'il ait étudié *aussi* les scarifications tribales en Afrique, les rites d'initiation et de puberté en Amazonie, les actes apocryphes des Apôtres dans la littérature copte, ou les instruments à percussion à Bali... je vois plutôt là une série d'alibis, une autre forme de défoulement. Qu'a-t-il ramené de ces campagnes? Quelles découvertes? Qu'a-t-il ajouté dans ces divers secteurs de la connaissance historique et de la recherche? Qu'en ressort-il aujourd'hui pour nous, sinon la certitude qu'il ne pouvait rien tirer de vraiment personnel de ses observations.

Les choses ne se sont gâtées sérieusement que quand il a commencé à errer entre la Méditerranée et le Golfe Persique, allant asticoter les savants qui se trouvaient à Hatra, à Mari, à Doura-Europos, et sur d'autres sites récemment exploités, sous prétexte de travaux qu'il prétendait mener pour son compte. On ne voit guère comment. On ne voit pas non plus que, promenant ses regards sur ces trois ou quatre millénaires — excusez du peu —, il ait jamais opté pour une époque particulière, entre l'Ancien Sumer et les Arsacides. Un rêve! Qui n'a rêvé autour de ces empires fabuleux et si brusquement effacés? Qui n'a rêvé autour de l'aventure Parthe aussi bien qu'autour de l'ancienne Colchide et de Médée, princesse mingrélienne? Vous me dites qu'il s'est toujours intéressé à la glyptique mésopotamienne, et ceci, dès l'âge de vingt ans, dès l'institut d'Art et d'Archéologie. C'est fort possible, mais il a fini par oublier que tout ce qu'il pouvait savoir dans ce domaine il le devait principalement aux travaux de Ghirshman, d'Atarasso lui-même et de quelques autres.

Il reste que si l'on considère le personnage sous ces divers aspects il n'est que trop aisé de le voir chaque fois emprunter des masques, revêtir une identité qui n'est jamais la sienne — moins comme un vêtement que comme un travesti. Le prendre au sérieux, comme d'aucuns l'ont fait, c'était au plus sûr le pousser à sa perte. Plutôt que d'encouragements, de subsides, il lui eût fallu des soins, du repos. Une époque trop orientée à l'utile continue néanmoins de faire litière à ce genre d'originaux — ils ne sont plus légion, c'est vrai — mais le crédit qu'elle leur accorde est-il de nature à changer leurs vaticinations en prophéties? J'ai observé de trop près au cours de ma carrière ces victimes potentielles dont l'action se développe en marge de la société (et je dirai également en marge d'eux-mêmes), pour me laisser prendre et tromper. Toute virtuosité mise à part, c'est le délire qui l'emporte. Nos hôpitaux sont pleins de ces errants appliqués à se fuir et à s'oblitérer. Des poèmes, tous en font à longueur de journée. Donnez-leur de la craie, du fusain, des pinceaux, ils n'auront de cesse d'avoir couvert les murs. Où passe la ligne de démarcation entre eux et les vrais créateurs? direz-vous... J'ai connu le cas d'un malade qui, privé de papier à dessin, avait commencé de tatouer un de ses compagnons d'infortune. D'autres, c'est la musique qui leur sort par tous les pores de la peau. Je sais bien qu'on voit là une thérapeutique. En dehors de certains cas, c'est une vue bien optimiste. Entre nous, cela n'a jamais guéri personne que de composer des partitions indéchiffrables ou une épopée de vingt mille vers parfaitement illisibles, ou de se prendre pour Nijinski, ou Martin Luther King, ou encore de s'en aller distribuant des indulgences le long des routes.

Le cas vous semble différent. Tous le sont. Cette façon de passer des mystagogies au rocambolesque reste proprement caractérielle. Et avouez-le, l'extraversion à ce degré devient un cycle plutôt étouffant. De ce moment son labyrinthe représentait pour lui une citadelle inexpugnable. Il y pouvait à tout instant trouver refuge. Qui donc eût pu l'en déloger? Ses masques le dissimulaient d'autant mieux qu'il ne leur laissait pas le temps de s'user. Dès lors, tout devenait possible : courir le Grand Prix des Nations, briller sur le court dans une série d'éliminatoires, échapper aux requins en surfant aux environs de Melbourne... On le perdait de vue un an ou deux et on le retrouvait à Upsala attelé à des travaux de phonétique, ou dans l'état de Nizan, convoyant des touristes finlandais dans les temples hypogées d'Ellora; ou encore, alors que son nom avait figuré sur la liste des passagers d'un D.C. 6. disparu au large de la Havane, juché sur un échafaudage, photographiant les mosaïques de Palerme pour le compte d'un éditeur suisse; ou mieux encore, travaillant à la restauration de fresques romanes ou défendant contre les mousses, les champignons microscopiques, les peintures rupestres. (Si ce cheptel préhistorique n'a cessé de croître de façon spectaculaire depuis la découverte de Lascaux, son imagination prolixe n'y est peut-être pas étrangère, car là où l'abbé Breuil eût reconnu trois bouquetins, lui en voyait tout un troupeau, ce qui l'entraînait à compléter la frise.) Il lui est même arrivé de se joindre à une équipe d'artificiers désamorçant des explosifs et des mines, et certainement de la façon la plus désintéressée, loin de tous les regards, uniquement attiré par le risque et par cette fin du monde en miniature qui reste l'autre terme de l'alternative si l'engin en question choisit d'éclater.

Ah! on ne lui reprochera pas d'avoir manqué d'imagination. Il se lançait chaque fois dans le vide, comme ces insensés qui se jettent, dit-on, dans le Niagara enfermés dans une lessiveuse. Ceux-là non plus, on n'a jamais pu les retenir. Étant sur place vous devez savoir ce qu'il en est.

Je ne nie pas d'ailleurs que dans toutes ces transformations, véritable canevas analytique, il n'ait atteint parfois à des réussites qui mériteraient d'être signalées, et que ces réussites ne fassent apparaître... disons *un certain style*.

Mais ne vous y trompez pas : trop d'aisance chez le funambule, un art trop consommé de l'illusion, ont toujours passé pour diaboliques. Si nous n'en sommes plus aux exorcismes et aux bûchers, ces manifestations proliférantes, ces étranges protubérances de la personnalité, n'en restent pas moins des symptômes catastrophiques. Moins inventif, moins « génial », peut-être à la fin se fût-il lassé. Mais je reviens à ce que je vous ai dit plus haut : c'est le pouvoir de se projeter dans les images fictives d'une vie *autre*, d'un destin jamais vécu dans sa réalité propre qui finit par enfermer le malade dans l'enfer du multiple, cette dérision de l'infini. Ce qui m'amène, pour en terminer et pour compléter ma pensée, à reprendre la comparaison traditionnelle de l'homme qui, d'abord amusé par son reflet répété et déformé dans les miroirs du cabinet des mirages, puis n'arrivant plus à trouver la sortie, finit par s'ouvrir le front en cherchant à s'échapper à travers une des glaces. »

« Vous avez jugé la dernière fois ces propos scandaleux. Ils blessent le sentiment que vous portez en vous et une certaine idée que vous vous êtes faite du personnage qui nous occupe. Partant de là, vous refusez de considérer cette fuite en avant comme une dégradation du caractère. Si vous me demandiez — mais vous vous en gardez bien — ce qui a pu initialement en être la cause, je vous répondrais : un échec mal résorbé. Oui un échec dont cette ruineuse dissipation, transcendée parfois en ivresse mystique, dionysiaque, n'a jamais pu le libérer par la suite et qui n'a cessé de le ronger, d'ébranler sa confiance en lui-même, en des dons qu'il n'a jamais eu le courage de faire reconnaître, entre lesquels il n'a jamais su choisir, jusqu'au jour où par un besoin de revanche, afin d'administrer une preuve que le sort lui avait refusée, il a fini par s'emparer du livre publié après la mort d'Atarasso et par s'en déclarer l'auteur.

Il faut remonter assez loin, à l'époque où il achevait ses études à Dublin, où il venait de recevoir un coup fatal en apprenant que sa mère, qui s'était remariée en Amérique, avait donné le jour à un autre enfant, et où il songeait déjà à s'engager. Il écrivait des poèmes en français. Le français, la poésie lui permettaient d'exprimer ses refus, sa révolte, son mépris. Il avait l'âge de Rimbaud et de Lautréamont, et vous n'ignorez pas quels ravages cette unique similitude peut exercer sur des jeunes qui croient pouvoir étayer sur celle-ci leurs premiers essais littéraires. Bien entendu la dite *valeur* ne saurait être pour eux contestée par qui que ce soit, quoiqu'ils la sentent fragile. A la fin des hostilités il en résulta une petite plaquette, *Galaxie*, publiée à compte d'auteur. S'il réitéra par la suite cette tentative, peut-être dans quelques revues, elle ne fut pas plus remarquée. Qui se fût avisé autour de lui que la chose revêtait à ses yeux une telle importance, qu'il s'agissait d'un choix essentiel? Les gens ne demandaient qu'à l'adopter, à se montrer aimables avec lui; on estimait qu'il avait reçu du ciel beaucoup d'avantages enviables, alors pourquoi en plus la poésie? Décidément il en voulait trop cet *Américain !* On préférait l'entendre jouer du piano.

J'essaie d'expliquer ce qui a pu se passer et pourquoi les choses ont pris dès le début ce tour négatif. Les impasses ne mènent à rien, sauf au renoncement, mais quelquefois aussi, par rupture initiale, à la névrose. La sienne vient-elle de là?

Ici permettez-moi d'ouvrir une nouvelle parenthèse. J'ai conservé un exemplaire de la plaquette en question; comme pseudonyme il a choisi son prénom. Il signe Géro comme Colette a décidé un jour de signer Colette. Mais il se pourrait fort bien que ce choix lui ait été suggéré par une intention plus complexe (que la solution de facilité qui consiste pour un auteur à prendre comme pseudonyme son nom de baptême) et en fonction de cette curieuse assonance : *Géro-Zéro*. Il y aurait là dans ce cas un petit rébus emblématique à joindre aux autres signes de sa névrose. Le signe *creux* de la numération devient aussi bien le symbole d'un manque (absence de chiffre, donc de valeur) que celui d'une plénitude (les décimales) et peut devenir ainsi le symbole de l'infini. Si vous avez quelque connaissance de Nerval et des étranges supputations auxquelles ce dernier a pu se livrer sur son nom dans ses généalogies mythiques, une telle hypothèse ne vous semblera pas négligeable.

Je suis certainement le seul aujourd'hui à me souvenir de cette tentative poétique avortée et à y voir l'origine des troubles déjà signalés. L'explication vous paraît partielle; je vous sens tout prêt à la rejeter. Disons qu'elle contourne le mythe. Il en est d'autres, et si vous venez un jour en Europe j'espère bien en reparler avec vous.

Mais peut-être regrettez-vous déjà de vous être adressé à moi. L'homme que je vous décris — bien peu d'années auront suffi à le faire oublier ici complètement — ne cadre pas avec votre modèle hermétique. Vous avez fait de ses chimères, de ses lubies, une réalité transcendante, une sorte de texte chiffré qui appelle le décryptement, alors que pour nous qui l'avons connu, observé — « Que va-t-il encore inventer? Quelle extravagance?... » — cette réalité a toujours été d'un autre ordre. C'est là toute la différence. Vous ne l'avez approché que pendant peu de temps, et dans cette phase de sa vie précédant de peu sa disparition. Plût au ciel qu'il eût choisi plus tôt ce silence que vous portez à son crédit! Après tout, ses excentricités ne détruisaient que lui seul et on les lui pardonnait volontiers. Mais cette fois il est allé trop loin en s'attaquant à Atarasso, et d'une façon qui ne pouvait que salir la mémoire, entacher la probité intellectuelle de ce dernier, l'honnêteté de ses ayants droit. Il a exercé une vengeance qui ne pouvait que se retourner contre lui en aliénant à sa cause ceux-là même qui l'avaient toujours défendu.

Je vous ai dit à quel désir de rattrapage correspondait cette captation. De toute évidence Andréas Italo Atarasso le fascinait, autant l'homme que le savant, et pour finir l'écrivain. Pendant des années, il s'était efforcé de l'approcher, le suivant dans ses déplacements, entre la Syrie et l'Iran, sans réussir à trouver le contact. Quand Atarasso, après une période de prospection, ouvrait de nouveaux champs de fouilles, ceux-ci devenaient souvent de véritables camps retranchés sous la protection de l'armée, moins contre les nomades et les tribus dissidentes (il lui avait fallu parfois endurer l'hostilité des populations locales qui croient que ces étrangers sont à la recherche de trésors et vont déchaîner contre leurs troupeaux la colère des esprits) que pour pouvoir travailler en paix, loin de la curiosité des journalistes, mais surtout pour se prémunir contre les individus qui pourraient soudoyer les ouvriers du chantier afin d'obtenir d'eux à vil prix des objets qui auraient échappé à la vigilance de l'équipe des spécialistes. Aux yeux de ces derniers un intrus n'a rien à faire sur le terrain archéologique. Et Géro était du nombre, bien qu'il eût réussi à se faire accepter par diverses missions, notamment à Hasanlu par les Américains, sans échapper pour autant au reproche d'amateurisme. Mais son but était autre, justifiant pour lui la traversée des déserts et ces semaines passées sous la tente. L'impossibilité d'approcher Atarasso — Géro eût donné dix ans de sa vie pour travailler à ses côtés — transformait peu à peu celui-ci en une sorte de maître de sagesse dont chaque mot avait valeur d'oracle. Ainsi, chez Géro, dans ce processus de détérioration, le thème de la poursuite précède-t-il celui de l'identification, de même que ce dernier précède celui de la captation de l'héritage moral et le meurtre du père.

Géro n'ignorait pas qu'en marge de son travail de recherche Atarasso constituait une collection personnelle de médailles et d'intailles. Il lui fit proposer, par l'entremise d'un chef de chantier, en fournissant les certificats de provenance délivrés par un gémologiste de Berlin, un camée Gréco-Perse, tourmaline et chrysobéryl, d'après un modèle d'Hyllos, fils de Dioscoride, donné comme sortant des ateliers de Suse, et qu'il disait avoir en sa possession. Bien que l'objet, depuis le XVIIIe siècle, eût traversé diverses collections, (Marlborough, Mommsen, Evans, Edward Warren, Thorwaldsen, Frœhner...) sans jamais trouver une place définitive, la pièce avait toujours été contestée, et ces trop nombreuses circulations la désignaient à la méfiance des connaisseurs. Atarasso entra dans une violente colère :

c'était bien la dixième fois qu'on lui présentait l'objet. Le rangeait-on parmi les dupes? Il ne manquait à Géro que d'être pris pour un faussaire et que son nom fût lié désormais dans la mémoire du maître à ce trafic. Je crains bien qu'il ne s'en soit pas tenu là.

Que le hasard lui ait permis beaucoup plus tard de joindre enfin celui-ci en Italie, rien ne le prouve. S'il a séjourné sous son toit, personne n'en a été le témoin. Et on ne voit pas pourquoi Atarasso qui a toujours écrit en français ses précédents ouvrages (notamment ses fameux *Mélanges archéologiques*) aurait eu besoin d'un nègre resté dans la coulisse pour réviser ses écrits personnels.

En revanche on voit nettement quels mobiles ont pu entraîner le pauvre garçon. Ce qu'il visait chez Andréas Italo Atarasso, c'était l'homme exceptionnel, le modèle antithétique de tout ce qu'il avait été incapable de réussir, de créer pour lui-même et par lui-même. De toute façon, une telle prétention était bien inutile. Il y avait trop longtemps que le malheureux s'agitait en pure perte, au vu et au su de tous, s'inventait des rôles, vaticinait à l'air libre, pour que sa revendication fût seulement retenue. Pour la première fois les gens se regardaient gênés, consternés même par cette scandaleuse exhibition, au lieu de saluer celle-ci comme un nouvel envol des mamelles de Tirésias. De sa chaire de Cambridge (Massachusetts) le vieux Molionidès prenait ouvertement la défense de celui dont il avait accompagné pendant tant d'années les randonnées archéologiques dans tout le croissant fertile, de la Caspienne et la mer Morte jusqu'à l'Arabie, et partagé les travaux depuis l'Ancien Sumer jusqu'aux Sassanides. A sa suite, tous les directeurs des services archéologiques de L'Ermitage, de Bagdad, de Paris et de Téhéran, venaient apporter leur témoignage; des professeurs de Berne et de Neuchâtel aussi bien que leurs homologues soviétiques, anglais ou pakistanais. Et c'était un peu comme si, cinquante ans plus tôt, un obscur folliculaire eût traité de faussaire le grand Schliemann, l'accusant d'avoir forgé de ses mains le trésor des Atrides et tiré les joyaux de Clytemnestre du coffret à bijoux de son épouse. »

« Il est possible que quelqu'un comme vous — dont je ne saurais suspecter la bonne foi ni la sincérité — mais vivant en Amérique, ne saisisse pas toutes les implications de cette regrettable affaire qui a soulevé partout une telle réprobation. Le procédé semblait d'autant plus condamnable que Géro n'hésitait pas dans des communiqués à la presse, sa *Lettre ouverte aux critiques*, en s'adressant aux éditeurs, aux agents littéraires, aux traducteurs, aux organismes littéraires internationaux, d'étayer ses assertions par des révélations, en général contradictoires, presque toujours fabuleuses, touchant la vie privée de l'homme chez qui il prétendait avoir vécu plusieurs mois. Allait-il apporter des preuves irrécusables ? Personne ne s'attendait à ce qu'il fût en mesure de les produire. Et de fait, abandonnant tout à coup cette campagne, sans qu'on ait jamais su ce qui avait déterminé ce brusque retournement, Géro est sorti de son rôle de délateur comme tant d'autres fois il avait disparu de la scène sans crier gare, piétinant ses propres traces, se contentant des remous un instant soulevés. Pour les autres, ses amis eux-mêmes, il n'était plus question dès lors que de noyer l'incident, et pour ne pas en être éclaboussés, de couper les ponts avec son fauteur.

Ce sabordage en pleine mer, tous feux allumés, n'aura laissé aucune trace d'un homme dont la seule réussite effective aura été de se rendre inexistant. Parmi les innombrables études critiques suscitées par la publication du second ouvrage posthume — qui vient compléter *Description d'un empire terrestre* et ne saurait en être détaché — aucune ne fait allusion à tout ceci. L'admiration a tout recouvert. Nous savons aujourd'hui que lorsque Andréas Italo campait à proximité d'un *tell* ou près des ruines de Suse et de Persépolis, l'insomnie ou déjà la souffrance le chassaient la nuit de sa tente. Quand il lui arrivait d'errer ainsi sur un champ de fouilles où il avait été présent toute la journée à la tête des équipes de sa mission, il échappait aux préoccupations du programme en cours et laissait se développer dans son esprit une réflexion qui, plus tard, une fois que la maladie l'aurait obligé à revenir en Italie, trouverait sa forme et son expression originale, transfigurant son déclin physique en un surprenant éveil.

Je suis loin de me considérer comme apte à piquer des jalons tout au long de cet itinéraire intérieur, de cette mystérieuse *anabase*. Bien des parties m'en restent obscures, qui pourtant, je tiens à le souligner, sont autre chose pour moi que des énigmes. Je marquerais une certaine parenté avec Lawrence, celui des *Sept Piliers*. Vision pourtant infiniment plus lointaine que l'Islam et reportée dans un passé seulement accessible à un homme qui possédait cet immense savoir. Si j'en avais le loisir et les capacités, j'aimerais néanmoins pousser ce rapprochement. L'aire de leurs pérégrinations a certes été différente et aucun intérêt politique n'a traversé la destinée d'Atarasso. Pourtant, du fond de ces déserts en marche depuis les origines du monde, du fond de ces vallées d'ossements où le temps au contraire semble s'être immobilisé, sur le miroitement de ces plateaux dénudés qui furent peut-être le jardin de l'homme, tous deux n'ont-ils pas vu surgir les mêmes visions? Des villes comme aspirées par une colonne de sable se déplaçant à l'horizon et comme au-delà d'une vaste étendue d'eaux mortes. Des palais inconnus, des oasis célestes. Un espace jamais prostitué...

Reste le cas de Géro. Vous m'aurez donné l'occasion d'y repenser. Retiré à Ouchy, j'ignorais ce qu'il était devenu. En tout dernier lieu, dites-vous, avant son admission à l'hôpital, il se trouvait à Chanatoga, à quelques miles de Niagara Falls, où il travaillait dans une pizzeria. Un emploi bien modeste pour un aventurier de cette volée. Géro servant des tartes aux anchois à des couples qui le dimanche reviennent des chutes, cela m'a quand même fait quelque chose. On le verrait mieux, jouant de la flûte sur un pont ou dessinant sur un trottoir, qu'à côté d'un distributeur de *popcorn*. Pourtant, à y réfléchir, c'était bien dans sa ligne : aller où le vent le poussait. Il a dû connaître pire à New York. Vous soulevez un coin du voile. Raflé pour vagabondage nocturne. Le Bowery. St-Mark's place et ses caravansérails d'invertis et de drogués. L'*underground*. L'habituelle descente vers les gouffres. Mais il était depuis longtemps immunisé.

Je le vois assez bien évoluant au milieu de toute cette faune, bien qu'un peu vieux déjà pour être tout à fait au diapason de ces hippies. A la fois maître et disciple, ascète enveloppé par toutes ces formes de sexualité diffuse dont je n'aperçois guère — vous connaissez suffisamment mes préjugés — en quoi elles pourraient se réclamer de Platon, de l'érotique des troubadours, et encore moins du soufisme et des Védas. Passons. Vous me dites qu'il confectionnait, pour des boutiques du « village » spécialisées dans les *posters* et la pacotille psychédélique, de ces bijoux, verroteries et petits cailloux, montés sur fil métallique et destinés à s'enrouler, comme des mobiles de Calder, autour de ces décolletés androgynes. Pourquoi pas ? Il a toujours été adroit de ses mains.

Je veux bien croire que sa double nationalité l'a sauvé de l'expulsion (quelle était donc la seconde ?) non pas de difficultés avec vos services d'immigration. J'ignorais qu'il se fût rendu à Nashville où sa mère est enterrée et où il avait encore un oncle, le frère de celle-ci. Ce dernier point me semble à retenir. Que cet errant caractériel soit revenu là, après avoir cherché refuge aux États-Unis, fait apparaître des motivations en vérité plus nobles que le torpillage d'Atarasso : remontée aux sources ancestrales, attrait exercé sur lui par cette tombe. Dans cette « optique », Nashville deviendrait alors ce que Glogau en Silésie a pu être pour Nerval : un lieu de polarisation mythique.

Mais cette dernière phase de sa vie aura été amère, je le crains. Je scrute ses traits sur le cliché joint à votre dernière lettre. Est-ce bien Géro? Méconnaissable sur cette photo prise quelques jours après son opération devant la fenêtre de la chambre que vous partagiez. C'était au début d'avril et l'on aperçoit des flocons derrière la vitre. Ce Géro présumé, soumis par vous à mon expertise, me semble en réalité aussi différent de celui que j'ai connu que le Rimbaud d'Harrar peut l'être du Rimbaud de Charleville, ou d'Artaud jeune l'envoûté enfermé dans sa panique et ses gris-gris. La route a-t-elle été si longue? la rupture si totale? Rien ne semble lier cet inconnu à ce qui a été son passé, sa jeunesse, ce masque de beauté posé sur ses pires débordements comme un irréfragable sceau. »

« Vous attendiez un témoignage, non certes un diagnostic! En agissant de la sorte, j'ai sans doute sapé une idole. Parlons-nous en fait du même homme? Rien ne le prouve. Rien ne prouve que celui que le hasard vous a fait rencontrer puisse être tenu pour le dernier maillon de cette chaîne. N'importe, j'ai voulu vous le montrer tel qu'il était. Beaucoup réussissent avec infiniment moins de possibilités. Il est arrivé à Géro de rendre brillamment la réplique, de se substituer à autrui avec un incontestable talent. Tout ça pourquoi?... Pas d'engagement majeur. Ah! il était bien le dernier à mettre en pratique leur fameuse « technique » de concentration spirituelle. Dommage! oui, dommage! Et ici ce n'est pas le médecin qui parle, mais quelqu'un qui, de près ou de loin, a vu cette chute s'accélérer. Qu'il eût choisi la musique ou les lettres — et pourquoi pas le sport? — qu'il eût choisi les affaires ou n'importe quoi, la réussite était à portée de sa main. Pas le moindre doute à ce sujet. Et s'il n'eût choisi que d'être lui-même — le meilleur choix, n'est-il pas vrai? — une vie parfaitement acceptable aurait encore pu être son lot. Mais il faut avoir le goût de saisir les choses, de s'en emparer. Il n'aspirait quant à lui qu'à s'en défaire. Trop de dons, oui, trop d'appétits, d'appels de toute sorte — et qui ne se limitaient pas aux seules voix de l'innocence, croyez-le bien. Nous n'avons guère abordé la question, mais il faut y venir : votre ascète « polyvalent » était parfaitement incontinent. Tout lui était bon, pourvu qu'une certaine grâce physique retînt son attention. C'est là un autre aspect de son pluralisme invétéré que ce « pansexualisme » — plutôt revendiqué que mis nécessairement en pratique — appelant à soi filles et garçons pour l'unique satisfaction de pouvoir affirmer ensuite qu'il n'y voyait guère, à l'usage, de différence. Une révolte? Un défi? Très probablement. Une façon à lui d'être *vrai*, de se sentir en accord avec la *nature*, de repousser les *peurs*, les *hypocrisies*, de sortir du *chaos* et de s'avancer seul, sans aucune justification esthétique ou morale, sur cette route largement dégagée, uniquement possédé par cette frénésie qui l'appelait sans cesse hors de lui-même. Sans doute faudrait-il faire ici la part de la légende, admettre que cette volonté de n'aboutir à la pureté que par l'absence de frontières et une constante dépossession le maintenait dans cette zone de prestiges, d'artifices, d'évasions, de recommencements, où seulement il entendait évoluer. Et que tout cela correspondît chez lui à une « image globale de l'existence » dont il était à la fois le modèle réel et le simulacre, lui donnait sans doute la force de persévérer dans cette voie où l'excès devient une sorte de règle.

Cette force, il la puisait surtout dans cette réserve sensorielle dont la nature l'avait doté. Si d'aucuns eurent à se plaindre de lui, ce ne furent certes pas les femmes. Je parierais volontiers que, parmi toutes celles qu'il devait à une réputation jamais démentie et avec lesquelles il a couché, beaucoup ne lui accordent plus au fond d'elles-mêmes que cette obscure survie qui efface le visage de l'homme et immortalise l'amant.

Cela non plus ne l'a jamais amené à se fixer. Les vrais créateurs sont rarement des champions du sexe. C'était l'opinion de Balzac : hennir au passage des cavales, mais préférer le parc à la saillie, l'Arcadie au Vénusberg! Ce n'était ni sa façon de voir, ni son programme. Comment eût-il négligé cette chance de se gaspiller et d'en tirer du plaisir?

De tout cela — le travestissement, l'érotisme dissident, la mystique — Géro ne s'est guère relevé. Comment enfermer tant de contradictions et de volontés dans une seule nature, une seule destinée, un seul tempérament? Vous voyez là, dites-vous, « une sorte de danse sacrée ». Rituel déjà fort galvaudé. Où donc situez-vous le message? Croyez-moi, ce n'est pas sur ce sentier que Nietzsche a rencontré Zarathoustra.

Je m'en tiendrai à cette conclusion.

Il est grand temps d'en arriver à vous et de vous dire que toute cette affaire vous colle dangereusement à la peau et risque de vous entraîner assez loin.

Beaucoup plus loin que vous ne sauriez l'imaginer. Jusqu'à une complète identification avec un personnage, à tous égards invérifiable, et devenu pour vous de ce fait ancêtre rituel, puissance totémique. Entreprise qui vous amènerait à relever le défi et à vous faire l'instrument d'une cause que celui-ci semblait avoir définitivement abandonnée.

Sans ce danger, à mon sens très réel, aurais-je poussé aussi loin l'analyse, accumulé tant de preuves tendant à vous mettre en garde?

Mais n'est-il pas trop tard? N'avez-vous pas, après vous être écarté de vous-même, déjà commencé à faire vôtre le personnage en question? Et ceci d'autant plus facilement que les distances, le peu de choses en somme que vous savez de lui, vous permettent de le façonner à votre guise. Et je dirai, de la même manière, cédant au même attrait, au même désir d'allégeance et de filiation que Géro par rapport à Atarasso, Géro cherchant à se substituer à celui-ci, à s'emparer de sa mémoire et de la postérité de son esprit.

C'est cette chaîne qu'il faut rompre, mais je ne me fais guère d'illusion. Tout ce que j'ai pu vous dire ne doit pas peser lourd. Vous voici installé sur le terrain et il ne sera pas aisé de vous amener à résilier de bon gré cette occupation. Une névrose qui à certains moments eût pu tourner à la psychose — à la perte de tout contact avec le réel; mais je ne vais pas jusque-là — c'est bien l'explication à laquelle vous vous arrêterez le moins. Dépassons donc cette contrariété de point de vue, et du même coup le *cas* de Géro. C'est maintenant de vous seul qu'il va être question, et si vous m'accordez votre attention jusqu'à la fin je reprendrai point par point tous les détails de cette rencontre déterminante, tels que vous les rapportez, sans rien ajouter de mon cru. »

« Je noterai d'abord pour commencer votre façon d'aborder le « mythe », en dehors de tout contrôle rationnel, par une sorte d'adhésion spontanée et irréversible. A croire que le seul document réel qui vous soit jamais tombé entre les mains était la feuille de température placée au pied du lit.

Une révélation!... je ne trouve pas d'autre mot. Tout de suite vous vous êtes senti lié — sans réciprocité de sa part — prêt à marcher dans les flammes.

Un autre point encore, c'est le long, le très long préambule, la singulière préparation qui précède l'arrivée de Géro, comme si avant d'aborder l'inexplicable vous compreniez la nécessité de lui donner un cadre et de rapporter ce que pouvait être à ce moment votre crainte qu'on amène là un agonisant ou un blessé grave, comme il peut advenir dans un service d'urgence. En multipliant ces notations préliminaires vous donnez le véritable substrat psychologique sans lequel les choses n'auraient pu prendre les proportions qu'elles ont prises par la suite. »

« Je vous relis.

La chambre était prévue pour trois, mais une place restait vide, inoccupée, entre vous et un sémillant vieux monsieur qui allait être opéré de la prostate. Il ne cessait de vous entretenir de son cas et de sa famille, tout en vous tenant éveillé la nuit par ses plaintes. Il recevait beaucoup de cartes de vœux, beaucoup de friandises, de fleurs et de visites — entre autres celle de son pasteur. Lui-même était diacre et chef de la chorale dans cette église dont il vous désignait du doigt le clocher. En général le pasteur avant de se retirer récitait une petite prière à voix basse et prenait congé du patient sur l'affirmation que tout se passerait bien pour lui. Ce n'était pas tellement évident. Vous redeveniez aussitôt la cible de ce monologue. Le petit monsieur à l'œil bleu, frais et rose sur ses coussins, n'en finissait pas de s'étonner de votre solitude, du fait que personne ne vînt vous voir. En Amérique, dites-vous, c'est toujours un signe inquiétant.

Concessionnaire de plusieurs marques d'autos, il vous promettait de vous dégoter une occasion sensationnelle quand vous sortiriez de là, ce qui vous consolerait de n'avoir reçu aucune lettre, aucun télégramme pendant votre convalescence. Que vous ne fussiez pas marié, qu'il ne vous vît jamais ouvrir la bible placée à votre chevet, l'inquiétait tout autrement. Il vous offrait ses bonbons, ses confitures, comme il l'eût fait à un enfant déshérité. Toutes ces sucreries lui étaient évidemment interdites; on continuait tout de même à lui en apporter. Quant aux fleurs, c'est aux infirmières qu'elles allaient. Seules les cartes de *greetings* restaient autour de lui. A quoi devait-il de telles preuves d'affection?... Il vous faisait l'effet de quelque dieu lare transplanté hors du foyer, qui reçoit les offrandes, mais sans rien consommer de ce qu'on lui offre, abandonnant ses galettes aux petits rongeurs et aux oiseaux.

Ce n'était là, hélas, que le bon côté de vos rapports. Tout le temps qu'il parlait vous guettiez le niveau d'un certain liquide mêlé de sang qui par des tubes transparents s'écoulait dans un récipient placé à côté de son lit. Il vous avait décrit le système. Il lui arrivait même d'abaisser le drap, de relever sa camisole nouée dans le dos et, après avoir soulevé son gland entre le pouce et l'index de dégager le méat tuméfié par la sonde. Vous vous seriez passé de cette exhibition. Un objet bien modeste — ne pouviez-vous vous empêcher de penser — pour avoir produit en des jours plus heureux une si belle descendance. Ce sanglant goutte à goutte vous obsédait : vous voyiez venir le moment où ce bavardage s'interromprait brusquement sur un cri et s'étoufferait dans une longue monodie de plaintes plus éprouvante pour vous que votre propre malaise. En vérité, vous n'avez jamais très bien compris ce qui se passait alors dans l'équilibre du circuit entre la vessie et le récipient, tout le long du canal lésé intérieurement par ce corps étranger. La nuit surtout, c'était parfaitement intolérable pour vous d'assister à cette souffrance et de ne pouvoir rien faire. Convulsivement, quand sa résistance était à bout, le malheureux finissait par appuyer sur le bouton d'appel. Des sonneries trémulaient à distance, tandis qu'une lampe s'allumait dans le couloir au-dessus de la porte. Mais personne ne venait. Il y avait d'autres urgences, d'autres malades éprouvant les mêmes spasmes, les mêmes contractions. Comme vous les détestiez alors ces infirmières qui n'accouraient pas aussitôt! Comme l'air tout à coup vous paraissait irrespirable, pollué par ces sanies, ces supplications! « Oh God! God! Qu'il cesse de souffrir! » A qui adressiez-vous cette prière? Vous vous surpreniez à prier pour ce vieux qui vous assommait avec ses cantiques, ses certitudes morales, le symbole déchu de sa virilité. Mais bientôt la colère vous saisissait. L'égoïsme reprenait le dessus. « Qu'il se taise! Qu'on en finisse! » L'infirmière arrivait enfin et tirait violemment un rideau pour isoler le lit du fond. Vous étiez supposé dormir. Singulière supposition, même si la dose de somnifère eût été trois fois plus forte, même si l'ombre de l'infirmière n'eût pas découpé sur le rideau une silhouette maléfique, même si un bruit de seringues n'eût pas résonné au fond d'un plateau métallique. Il s'agissait d'insuffler de l'air dans le circuit. Vous ne saviez jamais si l'apaisement du patient venait d'un réel soulagement ou du fait qu'il était tombé en syncope. Mais avant que ne se produise cette rémission, vous perceviez une sorte de halètement un peu rauque achevé par un long et profond soupir qui eût pu tout aussi bien exprimer la jouissance, et vous éprouviez la même gêne que si collant votre oreille contre une cloison vous aviez eu tout à coup le sentiment qu'il se passait là derrière quelque chose qu'il eût mieux valu pour vous ignorer.

Enfin le silence, les premières traînées de l'aube. Vous regardiez cette aube colorer le nuage du Niagara dessiné comme un mince champignon atomique déjà détaché de la nuit. »

« Tout ce récit prouve abondamment que vous étiez loin d'être dans un état de relaxation. Pas de chance pour vous d'avoir été placé là, dans le service des voies urinaires. Vous vous seriez bien passé d'en savoir autant désormais sur les prostates. Votre charmant voisin finit par aboutir au bloc opératoire; on vous le ramena quelques heures plus tard, d'abord un peu sonné; après quoi il commença de récupérer et de recevoir de nouveau des visites.

Vous n'étiez pas calmé pour autant. Entre vous deux, ce lit non occupé ne cessait de vous inquiéter, réservé, pensiez-vous à des cas d'urgence : accidents de la route ou de l'air ou du feu. « ... chairs brûlées, os brisés, membres sectionnés, reconstitués sous des tissus stériles grâce à des greffes et d'énormes prothèses... » Votre insistance à vous représenter ce que serait alors ce voisinage montre que vous viviez dans une sorte de climat dépressif qui réveillait en vous de vieilles peurs. Avez-vous combattu en Asie? Avez-vous assisté à un grave accident, à de sanglantes bagarres raciales? Il est certain que vous avez dû garder une empreinte traumatisante... Si vous n'aviez pas eu un drain au côté, vous dites que vous vous seriez enfui. Chaque fois que vous entendiez sortir de l'ascenseur le chariot, vous vous attendiez à voir arriver ce troisième occupant si peu désiré, si peu désirable, et dont vous ne connaissiez que l'horreur qu'il provoquait en vous à l'avance. Vous admettez à présent qu'une pareille panique n'avait rien de raisonnable; que des patients aussi mal en point auraient été dirigés vers des services spécialisés pour les grands blessés. Seule votre imagination travaillait — euphorisante ou dépressive selon les cas. De toute façon, c'est bien cette peur, cette anxiété qui a précédé dans votre subconscient l'entrée en scène de Géro. On ne saurait assez le souligner.

Une nuit vous avez donc vu entrer le chariot, alors que tous les diffuseurs lumineux venaient d'éclairer le couloir et la chambre. « Silence et blancheur. Manœuvre aussi bien réglée que les rencontres spatiales. Les visages et les bras nus des deux nègres qui accostaient cette étrange nef venue du froid rendaient plus évidente cette impression de blancheur polaire. Deux infirmières assistaient au transbordement sans presque y participer. Le glissement s'est opéré avec une économie de mouvements et dans une sorte d'apesanteur miraculeuses. » Vous assistiez à une scène qui ne réclamait de chaque participant qu'un minimum de gestes. Vous-même en vous concentrant sur ceux-ci reculiez d'autant le moment où il vous faudrait reconnaître celui qui en était l'objet. « L'alunissage était terminé. Et déjà le chariot repartait, comme téléguidé. Un moment les deux infirmières s'affairèrent autour du lit. Le rythme avait changé... » Vous aperceviez sur le drap une main au bout d'un bras inerte, et, retenu légèrement au-dessous de la saignée du coude par un bracelet adhésif, un tube relié à une bouteille de sérum physiologique accrochée à une potence. Et soudain vous fûtes seul avec cet inconnu que vous n'osiez pas encore dévisager. Mais la crainte avait disparu. A peine entendiez-vous le ronflement du vieux monsieur qui désormais libéré de ses sondes dormait tourné vers le mur. Sa famille viendrait le chercher le lendemain. Il allait retrouver sa maison, ses enfants, sa télé en couleurs, accueilli sous le péristyle par la chorale qui, étagée sur les marches, lui chanterait son choral préféré. Il allait rentrer dans sa vie bien conforme, vendre de nouveau des voitures dans un garage de *Main Street*. Et vous, vous étiez heureux d'en être débarrassé. Vous vous embarquiez. Dans quelle aventure? Jamais vous n'avez éprouvé aussi fortement la sensation d'une présence. Pourtant, quand vous vous êtes tourné vers cet homme qui sortait à peine de la salle de réanimation, vous vous êtes demandé s'il respirait, mais sans anxiété cette fois... « D'où me venait cette paix ? »... Je pourrais vous répondre : du fait que ce que vous aviez sous les yeux ne ressemblait en rien à ce qu'avait forgé votre angoisse.

Le jour a commencé de poindre et il vous semblait voir

peu à peu s'éclairer, comme fixé dans cette cireuse léthargie, « le visage de Patrocle ». Comme vous y allez, vraiment comme vous y allez! Savez-vous quel était l'âge de Patrocle? Géro aurait pu être son père. (Si du moins votre Géro et le mien sont bien le même individu.) Mais il est très significatif que l'image du héros tombé au combat se soit imposée à vous dès cet instant. Déjà le mythe naissait à votre insu, dans l'extrême de la pâleur et un épuisement des forces vives. Et jamais ce compagnon n'aurait en vous plus de réalité que celle de ce masque éclairé par l'hiver, et dont rien ne vous permettait de savoir s'il était d'un vivant ou d'un mort, ou encore de quelque être appelé en vous à revivre.

Que pourrais-je ajouter? Tout est fragile autour des êtres abordés de la sorte, hormis le sentiment immédiat qu'ils nous inspirent. Dès ce moment vous avez choisi de croire, aveuglément. Votre référence mythique en est la preuve. La suite ne fait que le confirmer. Vous notez certains détails, sans vous interroger à leur sujet. Ainsi pour ces deux livres placés en évidence sur la tablette de verre à son chevet. Ils avaient dû le suivre dans l'ambulance puis, sur recommandation expresse de sa part, jusqu'à cette chambre, alors qu'on l'avait dépouillé de tout le reste, argent, montre, papiers, et même de cette amulette inca en cristal dont vous sûtes plus tard qu'il ne se séparait jamais : il les retrouverait à son réveil. Près du visage de cet homme encore à la dérive, ils représentaient un unique lien avec un passé que vous ignoriez. Vous avez réussi à déchiffrer les titres : *Lettres de Pline*, *Panégyrique de Trajan*. Cela ne vous a pas paru bizarre, surtout pour un type entré à l'hôpital par ce canal : *Emergency*, et tout de suite expédié sur la table d'opération. On songerait à d'autres viatiques dans une telle extrémité. Mais vous étiez résolu à ne vous étonner de rien. Vous vous gardez donc bien de vous arrêter là-dessus. Et pourtant, dois-je vous avouer que c'est le seul indice qui pourrait à mes yeux établir une possible identité entre l'homme assez exceptionnel que je vous ai décrit et l'opéré qu'on a mis dans votre chambre cette nuit-là.

Voilà ce que je tenais à vous dire. En toute logique je devrais pouvoir m'entretenir maintenant avec vous autrement que par lettres. Votre refus de venir en Europe — vous avancez l'impossibilité d'en assumer les frais — ne peut que contribuer à vous maintenir dans l'erreur et vous engager plus avant dans les plus ridicules hypothèses. Géro s'est brisé contre ce mur d'identifications successives : il serait criminel de ne pas vous montrer le danger.

Je pense en effet que cette affaire vous concerne. Si vous vous interrogez au sujet de cet homme, c'est que vous vous interrogez sur vous-même. Combien de biographes ne font que se raconter et aller au devant de leurs propres obsessions à travers leur modèle! Mais ici le modèle c'est le néant. Réfléchissez à cela. Ne gaspillez pas votre jeunesse. Reparlerons-nous de tout ceci en nous promenant un jour entre la terrasse du château d'Ouchy et l'embarcadère pour Thonon? Comme je le voudrais, croyez-le! Ce serait le signe de votre guérison et que vous vous êtes enfin rendu à l'évidence. Mais c'est trop espérer de votre bon sens. Je sais déjà que vous ne vous laisserez pas détourner et que ce qui fut si éphémère pour d'autres laissera dans votre esprit une trace ineffaçable. »

Le cas de Géro!... ma guérison!... Marrant ce Suisse avec son homélie, pleurarde sur la fin. Et d'abord qu'est-ce que c'est la Suisse, à part les montagnes, la propreté, et de l'herbe pour les vaches?... Il me fait bien rire avec ses masques. Comme si Géro avait passé sa vie dans une boutique de farces et attrapes, sans autre souci que ces turlupinades!

Un masque? Oui, mais qui était la vérité même. Cette vérité que les autres n'atteignent que lorsque l'oubli, l'indifférence, le poids des rancunes rétrospectives ont réussi à les effacer dans la mémoire de ceux qui les ont si parfaitement ignorés, passant à côté sans les voir.

Témoins?... J'en ai fini avec eux. Envoyer tout ça au panier, barrer vers d'autres horizons, et au plus noir de l'orage. Ou plutôt rester calfeutré dans cette chambre où l'histoire se recomposait à mesure. En fait, il n'y a jamais eu que nous deux : Géro pour sortir tout ce qu'il avait sur le cœur, et moi pour rester éveillé, l'oreille aux aguets, essayant de faire le lien et de rabouter les morceaux.

Je me revois un matin dans le couloir, clopinant derrière la grosse Edna pour essayer de savoir si le copain s'en sortirait et si, à son avis, c'était grave ou non ce qu'il avait. J'ai reçu là une bonne leçon.

— Eh dites, qu'est-ce qui vous prend? Qu'est-ce que vous faites là à cette heure?... Si vous avez quelque chose à demander, demandez-le à docteur Clarence. C'est pas l'habitude nous autres de répondre à ce genre de questions. Et d'abord pourquoi que vous me demandez ça à moi?

Scandalisée, oui, elle l'était, comme si je cherchais à savoir combien de fois elle baisait par semaine. Prête à crier et à mordre, comme si j'allais porter la main sur elle. Pourtant, je ne devais pas avoir l'air trop gaillard; c'était la première fois que je remettais les pieds par terre. Edna continuait de me toiser, atteinte dans sa dignité, bien qu'elle m'eût assez à la bonne, moi le benjamin du service. Est-ce que je n'essayais pas de farfouiller dans ce qu'elle considérait, elle, comme le secret professionnel?

Soudain, elle avait quand même changé de ton :

— Vous n'allez pas tourner de l'œil? Eh là! Pas de blague. Je suis seule pour le moment...

Plutôt minable je devais être. Alors, pour me rassurer, et parce que, pensait-elle, j'avais besoin de recevoir ce genre de réconfort :

— Compris! mon gars, je vois ce que c'est... t'as peur qu'il clamse. T'en fais pas pour ça. Si ça arrive, on te le retire aussitôt... Avec la chaleur qu'il fait ici, on les envoie tout de suite au frigo.

On peut hésiter sur la route à suivre, mais là, dès la première minute j'ai compris que nous ne nous quitterions plus, que j'en avais pour toute la vie. Pourtant les hésitations, ça me connaît, j'en retrouve plus d'une quand je regarde en arrière. Tout ce que j'ai pu entreprendre et laisser en plan avant d'en arriver à enseigner le latin chez les sœurs! J'ai même essayé d'être peintre, tout à fait à la fin de mes *twenties*. Cela se passait à Philadelphie, en marge de l'Université. Je venais à peine de débarquer.

A l'époque j'aimais assez les naïfs, Mama Moses, le Douanier... On m'a tout de suite expliqué que ça n'était plus dans la note. Je jetais les couleurs à distance; il en arrivait autant sur mes pieds que sur la toile. Je les mélangeais avec du gravier, de la cendre, du mâchefer, comme je voyais faire aux autres. J'incorporais des bouts de tissus, des morceaux de verre, de l'étoupe, des boutons de nacre, des écrous, de vieilles brosses à dents. Il fallait trouver autre chose, me disait-on. Je vidais le fond des tiroirs, des poubelles; j'allais copier les graffiti dans les pissotières publiques pour les reporter sur ma toile... ça n'allait toujours pas. « Ne t'éloigne pas de l'objet!... Tu fais de la littérature! » Je commençais à en avoir plein le dos de peindre avec du plastic, du ciment, des éclats de brique creuse, des débris de ficelle et de dentiers. Est-ce que ça s'appelle encore de la peinture? Je commençais à penser que j'eusse fait tout aussi bien de me consacrer à la poésie latine. *L'homélie du vannier. L'ode à Cynthie*... Mes toiles ressemblaient à un mur prêt à s'écrouler. Je n'arrivais pas à les faire sécher. En cachette je relisais Virgile, Thoreau... *Le Roman comique*. Il y avait une fille que j'emmenais parfois au ciné. Un jour, je lui ai proposé de faire son portrait. Je voulais surtout voir si j'en étais capable. En fait, à ce moment j'étais plutôt expert en maçonnerie; j'aurais mieux été à ma place sur un chantier. On a toujours besoin de plâtriers. Un portrait! pensez donc. La fille en est restée comme un œuf en gelée. Et bientôt dingue à l'idée que c'était à elle qu'une pareille chose arrivait. On ne lui avait jamais proposé rien de pareil. Aussi excitée que si elle venait d'être engagée pour présenter une recette de bananes flambées à la télé! Le jour dit, elle s'amène, parée de bracelets, de colliers, des machins en strass aux oreilles, et pendant qu'elle s'efforçait de tenir la pose, elle s'éventait avec une sorte de chasse-mouches venu tout droit de Karachi. J'en avais les yeux à l'envers. Elle est revenue, et chaque fois avec de nouveaux accessoires. Je ne voulais jamais lui montrer le portrait. « Ça avance? »... ça avançait, oui, d'une certaine façon. Peut-être pas dans le sens où elle l'eût désiré. Finalement, un beau jour, elle n'a pas pu se retenir et s'est précipitée sur la toile. La palette, les pinceaux, j'ai tout reçu à la tête. Un impuissant, un vicieux qui avait inventé ce moyen pour la reluquer à son aise! Elles en ont de bonnes les filles. Au cinéma, dans la vieille *Plymouth* de son oncle, j'avais fait un peu plus que la reluquer. Sous le coup de l'indignation elle perdait un peu le contrôle. Un modèle! Une idole! c'est ainsi qu'elle se voyait, c'est ainsi que j'aurais dû la voir. Avec ce portrait elle aurait pu se faire une fameuse publicité. Le tabouret, après être passé à travers la toile et avoir fait voler la vitre est allé s'écraser sur la chaussée. Un flic est monté. La fille avait déjà filé. Perséphone, c'était son nom. Je ne l'ai pas revue. J'ai abandonné la peinture.

Mais cette fois il n'y avait pas d'hésitation possible. Tout allait être changé et rien ne serait jamais plus comme auparavant. Cela je l'ai su alors qu'il n'y avait pas une heure qu'il était là, alors que le drap restait encore inerte sur sa poitrine et que si on eût approché de son souffle un miroir on n'eût pas vu s'y former la moindre buée. Peut-être ne respirait-il pas, mais il vivait. En plongée! Je guettais le moment où il ferait surface tout à coup, et ça n'a pas manqué. Mort ou vif, il tenait sa place. Les autres peuvent toujours déballer leurs ragots, éjaculer leur venin jusqu'à épuisement de leurs réserves séminales; ils peuvent nous envoyer leurs détritus, le vent les leur renverra au visage.

Une semaine plus tard j'étais déjà au fait de l'affaire; j'aurais pu m'installer devant ma machine et commencer à taper. Pas une seconde perdue. C'était simple, il n'y avait qu'à saisir au vol cette manne. J'aurais pu sonner la garde, réclamer une dose plus forte de somnifère, exiger d'être mis dans une autre chambre. Non pas, j'avais choisi de croire et d'écouter, persuadé qu'il disait vrai, que les choses n'avaient pu se passer autrement, certain que tout peut mentir chez un être sauf cette espèce de vérité folle qui ne doit rien à personne.

J'étais loin d'apercevoir le terme, le moment où Géro cesserait de parler, où plus un seul mot ne sortirait de sa bouche pour confirmer ou pour infirmer. Loin de comprendre encore où tout cela me menait. En brave idiot que je suis, j'aurais voulu être scribe, téléscripteur, linotype et bande magnétique. Cela venait, cela montait comme les liserons, par grandes brassées nocturnes. Pas besoin d'augmenter la puissance, impossible de filtrer le débit. Un geyser, un admirable cataclysme. J'avais l'impression de voir le sol trembler, se fendre sous nos lits, laissant échapper des vapeurs méphitiques et les plus capiteux arômes... Quand je pense que j'ai cru tenir un moment l'affaire la plus sensationnelle du siècle. Une affaire pourrie!... ce toubib suisse a raison. Mais qu'importe. Toutes les grandes vérités le sont, depuis Sophocle, qui ont toujours fleuri autour de cadavres. Je ne m'arrête pas à ces redites. L'important c'est d'avoir été frappé par cette vérité. Le pacte s'est noué en dehors de ma volonté et, de façon tout aussi certaine, de la sienne. Sur ce chapitre il n'y a rien à ajouter. Nous sommes toujours dans cette chambre, entre ces quatre murs.

Parfois il me fait penser à un de ces médiums que j'ai pu observer dans une petite communauté de spirites et qui se trouve à une cinquante de miles d'ici, au bord d'un étang. Lilydale. Le médium est installé sur une petite estrade, mais on pourrait s'en approcher et même le toucher du doigt. Sourd à tout ce qui se passe autour de lui, insensible aux révulsifs, à la chaleur comme au froid, et qui se laisserait aussi bien brûler les orteils ou percer par des pointes d'acier.

Mais non, cela n'a rien à voir. Le sommeil le plus naturel. Géro se contente de dormir pendant la journée. J'essaie parfois de le prendre par surprise : « Oh! Géro, tu m'entends ? » Il reste muré. Citadelle dont les portes ne s'ouvrent que la nuit, après le dernier tour de ronde. On pourrait penser qu'il en rajoute, que tout ça c'est de la mise en scène, une façon de se rendre intéressant ou de dispenser l'inquiétude. Je pourrais me dire aussi que si je n'étais pas là, dans la chambre — il sait très bien que j'y suis — le rythme serait différent, que l'alternance entre le récit et cette chute hors du cadre ne se produirait pas de la même façon. Mais qu'il se parle à soi-même, ou qu'il me parle, rien en fait n'est changé. Il ne fakirise pas, il ne cherche pas à se composer une apparence de baladin vaguement évangélique comme on en voit par dizaines, vautrés sur les pelouses de *Washington Square* à New York. Il ne joue ni sa mort ni sa résurrection, ne se transfigure pas, ne se donne pas le mal de se dépersonnaliser, mais se laisse porter par le courant, sans faire le moindre effort pour se rapprocher ou pour s'éloigner de la rive.

Comment ceux qui prétendent l'avoir connu autrefois peuvent-ils lui prêter tant d'attitudes diverses, tant de visages différents ? Que ne l'ont-ils vu ainsi, quand soudain les mots le quittaient, cessaient de le brûler et de nous tenir éveillés ?

Le troisième lit n'est toujours pas occupé. Et on me dit qu'il ne le sera pas; que l'état de Géro ne permet pas qu'il le soit.

Sommes-nous devenus contagieux — contaminés l'un par l'autre? Sur la porte, naguère ouverte en permanence, une pancarte interdit-elle l'accès?

En pyjamas, robes de chambres floches, vestes de chasse rouges ou à carreaux, vieux kimonos de judo remontés des temps héroïques, les autres continuent de déambuler dans le couloir, d'aller bavarder devant la télévision ou avec leurs copains alités, comme il est d'usage, j'imagine, dans tous les autres services, même en dehors des heures de visite. Depuis que le vieil angelot aux fesses talquées (pour éviter les escarres) qui me refilait ses sucreries a quitté l'hôpital après avoir récupéré son dentier et a été rendu à ses occupations — *rented cars*, pari mutuel, anniversaires *a cappella* — aucun de ces babouins folâtres ou mélancoliques n'a plus franchi notre seuil. Ne pas partager leurs infirmités suffit-il à éveiller leur défiance? Ou bien cette absence de courrier du cœur, de visites qui nous resitueraient dans la bonne tradition américaine, même si ces lettres, ces cartes nous étaient expédiées par quelque association ayant pris à charge d'apporter ce réconfort aux malades privés de liens familiaux? Ils nous boudent, se désintéressent de notre sort. Le silence s'est fait autour de nous. Agissent ici les mêmes causes obscures qui dans ce pays sont à la base de tant de ségrégations subtilement diversifiées : pigmentation de la peau, prépuce ou niveau social. Ce qu'il nous faudrait, je suppose, pour être pleinement acceptés par eux, englobés, c'est un calcul coincé dans l'urètre, un polype dans la vessie, l'hydrocèle, ou bien la gravelle. Nous n'aurons pas notre carte à leur club. Plus isolés que dans un pavillon construit à l'écart de ce *fourteen stores building*. Étonnant privilège. Le pire serait en effet que l'un d'eux ne se ravisât et qu'on ne le vît se pointer à l'entrée. « Hello boys ! » Tous suivraient. Dieu merci, nous restons pour eux inassimilables. Nous ne souffrons pas des mêmes organes.

Les visites des équipes chirurgicales ont lieu très tôt le matin. Patrons et assistants. Ceux-là ne posent pas de questions, jettent un coup d'œil rapide et repartent. On dirait qu'ils craignent de nous gêner, de rompre notre intimité. Il fait encore à peine jour. C'est d'abord le tour de Géro. Peut-être préfère-t-il opposer ces apparences comateuses, comme si on l'avait attaché avec des sangles. Quel dialogue pourrait se nouer entre ce patient emporté dans le tourbillon de ses cavaliers parthes et le gars qui l'a charcuté ? Le meilleur crack de l'écurie, le champion numéro un de Redgrave Hospital. Un maigre râblé aux bras velus qui pourrait faire penser à quelque réfugié anti-castriste venu collecter des fonds en vue d'un débarquement à la Havane et qui a fini par revêtir la tenue bleu-lavande des praticiens du bloc opératoire. Rien ne bouge dans ses traits. Pas de parole inutile. Il ne fait que passer.

« Et vous, d'où êtes-vous ? » me demande à son arrivée mon chirurgien, plus loquace, plus attentif que l'autre à ce qui pourrait être « la psychologie du malade ». *Arkansas*, *Utah*, *Wyoming*... je réponds chaque jour de façon différente. Il feint de ne pas s'en apercevoir. « De braves gars ! » fait-il imperturbablement. Que suis-je de plus pour lui qu'un type dont il a réussi l'opération et qui porte au poignet un numéro inscrit sur un bracelet de plastique ? « De braves gars ! » Un instant nous nageons en pleine convention d'optimisme *yankee*, échangeant un large sourire de santé civique, en marge de toute conviction profonde, un peu comme ces poignées de mains qui s'échangent en Europe. L'assistant s'apprête à noter sur son bloc les prescriptions, mais le patron est déjà dans le couloir.

Un grand pan de ciel gris dans le cadre métallique de la fenêtre. L'angle d'un bâtiment annexe. Une terrasse passée au bitume avec antennes, échelles, passerelles, grosses cheminées d'aération... pont supérieur d'un paquebot qu'on aurait transformé en maternité. Et au-delà de *Gates Circle* et de *Park Avenue*, le grand cube de briques blanches d'un collège coiffé d'une énorme cage avec à l'intérieur portiques et agrès, poteaux et filets de *volley-ball;* cage qui parfois s'emplit pendant de courtes récréations de mouvements et de cris et suspend alors en plein ciel comme une grande volière d'enfants portant tous le même *sweater* écussonné dans le dos.

La ville, si elle existe, c'est tantôt un bruit, tantôt l'autre : le sifflement d'un réacteur, une sirène qui fait courir un long bramement entre *Lasalle Park* et *Checktowaga*, entre le *riverside* et *Amhurst*, des avertisseurs d'accident, d'incendie, les klaxons enroués ou stridents d'une noce qui circule dans les parages. Échos suffisamment assourdis par la distance, par cette neige usée par les chaînes, noircie aux points de passage et le long des axes de circulation, vieille moquette salopée qu'il conviendrait de changer.

Entre ces agressions sporadiques, un silence morne, le lourd tassement de ce paysage où la brume achève de noyer les confins.

Je me suis mis à détester ces matinées, la lenteur hypocrite de ces heures indivises. Géro se tait. Et moi je perds le fil. Le passé reste dans ses mains, mais quand le jour les éclaire, elles retombent inertes, abandonnant la trame.

Parfois je pose les pieds sur le carrelage et fais quelques pas avant de revenir m'étendre. Je pourrais essayer de dormir, tenter de réparer ma nuit, celle-ci et toutes les précédentes : quelque chose m'oblige à rester ainsi, le coude sur l'oreiller, comme les convives d'un festin étrusque fixant du regard de lourdes portes prêtes à se refermer sur eux.

Il n'a pas fait un geste vers le plateau; ni les *cornflakes* ni les œufs brouillés ne le tentent. Parfois j'ai envie de demander à Edna ou une autre des filles si tout ça c'est normal, ce refus de s'alimenter, cette asthénie... cette longue glissade au ralenti au fond d'un cratère où la matière resterait en fusion.

Où a-t-il appris à dormir de la sorte? Peut-être est-ce seulement maintenant, avec un retard de plusieurs heures, que les tranquillisants finissent enfin par agir?

Et il en est ainsi jusqu'au soir.

— Encore! dit-elle. *My God*, vous n'êtes tout de même pas sa nurse!... *Oh boy! Oh boy!*... jamais vu personne s'en faire autant pour quelqu'un. Laissez-le donc reposer.

Elle ne dira rien de plus, Edna, stricte sur les consignes qu'elle s'est données. Reste là quand même à tourner, retapant l'oreiller, tirant l'alèse sous le drap, changeant les glaçons et l'inclinaison du sommier mécanique. Ça la délasse, prétend-elle, de s'attarder ici en fin de journée.

— Un filet d'air avant la nuit... Vous fermerez si vous pensez avoir froid.

Je la regarde chausser ses lunettes accrochées autour de son cou par une chaîne, puis, après avoir consulté la liste des prescriptions pour l'ensemble du service, choisir sur le plateau qu'elle transporte d'une chambre à l'autre les gélules, les ampoules qu'elle dépose ensuite sur la tablette entre nos lits.

— Pour sa piqûre, on viendra vers 11 heures. Au moins qu'il vous laisse dormir.

La bonne blague! Mes nuits à Redgrave Hospital! D'abord le vieux, à présent Géro. Si tu savais, ma fille, l'effet que lui font toutes vos saloperies de calmants! Une fusée mise à feu. Mais je serai le seul à la voir s'élever, le seul à suivre sa trajectoire et à la regarder accomplir sa révolution.

Le doigt posé sur la tranche des livres restés à côté de Géro, Edna fait une grimace. *Panégyrique*, mot barbare.

— Ferait mieux de lire autre chose, dit-elle. Et vous, pourquoi n'avez-vous pas un petit poste que vous vous colleriez sur l'oreille, ça vous tiendrait compagnie. Pas très bavard celui-là, ajoute-elle en désignant mon voisin, ça doit vous changer de l'autre. Qu'est-ce qu'il pouvait recevoir ce vieux en fait de lettres, de cadeaux! Et les fleurs!... à force de me voir en ramener chaque soir mon mari commençait à s'imaginer des choses : il les balançait. Vous vous rendez compte? Dans un service comme celui-ci... ils ont bien d'autres soucis les malheureux que de s'intéresser aux filles!

Elle feuillette un des livres : « Qu'est-ce que c'est? — Du latin! » dis-je. Elle pousse une exclamation et le repose aussitôt. *That dialect of the Roman catholic church !* Sans doute pense-t-elle qu'il s'agit d'un livre de prières. « Tout ça ne vaut pas la musique. Ça vous plaît Herb Albert? demande-t-elle. J'en suis folle. *This guy I love* ça me fait un effet quand je l'entends le soir en rentrant à ma radio de bord. C'est comme si en dansant je sentais l'haleine du gars dans mon cou. Un vrai sortilège : je ne vois plus les feux, les autres voitures. Je dois me ranger sur le côté de la route et attendre qu'il ait fini. Un danger, cet Herb, vous ne trouvez pas?

Plusieurs sonneries d'appel se font entendre au bout du couloir.

— Écoutez, fait-elle, ça n'arrête pas. Un vrai cirque quand ça commence.. ne tiennent plus en place... en arrivent à s'arracher leur fourbi, la sonde et tout. Je vous demande un peu. Après, faut tout remettre. Comme si on y pouvait quelque chose! Faut qu'ils y passent. Faut bien les préparer. Ce n'est pas à nous de décider. Allez donc le leur faire comprendre. Des gosses!... Ah! ce n'est pas comme vous deux, ajoute-t-elle. Vous deux, c'est différent. On ne vous entend pas. Jamais besoin de rien. Un qui dort, un qui regarde l'autre dormir. De vrais anges! Si tous étaient comme vous, on n'aurait pas besoin de vacances.

Un havre de paix, cette chambre, ça lui détend les nerfs de s'y attarder un moment. Aurait pu vendre des disques ou des produits de beauté, faire la classe à des *teen-agers*, les conduire au musée, ou même rester chez elle entre sa machine à laver, ses boîtes d'épices et ses livres de cuisine. La voilà coincée entre un mari qui lui cherche des crosses quand elle se ramène avec des fleurs ou des chocolats et ces tristes zombis qui passent leur journée à traîner leurs savates ou à geindre. Non pas qu'elle leur en veuille, bien sûr. Ne souhaiterait à personne d'être à leur place et d'endurer ce qu'ils endurent. Un sacré croc-en-jambe que la vie leur a fait. Chasseurs ne retrouvant plus le fusil. Cavaliers ayant vidé l'étrier. Devraient tout de même se résigner. Un temps pour tout, dit la Bible. Mais non, anxieux et traumatisés à cause de ce truc qui tout à coup refuse de fonctionner. Il faut les entendre râler. Les durs, les anciens champions, virés soudain dans la réserve, mis hors service. Elle n'a pas tort, Edna, elle les voit bien comme ils sont. Ne rêvant que du temps où pisser ne leur posait pas de problème, représentait même un plaisir éminemment viril, en marge de tout puritanisme, de tout préjugé de caste, quand après avoir bien bamboché, ils descendaient en groupe dans les étincelantes vespasiennes souterraines des grands buildings et pouvaient librement s'arroser les pieds, comme une bande d'anciens conscrits, saluant de réflexions idoines, chez eux-mêmes ou leurs voisins, la qualité du jet et la régularité du débit.

— A propos, dit Edna avant de s'en aller, demain, pensez à vous raser. Vous commencez à vous lever, vous devez vous raser. C'est la règle.

Le couloir à présent est vide. Une rumeur subsiste pourtant, ponctuée par le clignotement des feux et des grands panneaux de néon, qui monte d'en bas et passe avec un filet d'air glacé sous le cadre de la fenêtre légèrement relevé au-dessus du calorifère.

Sous les ormes gigantesques des longues avenues rectilignes le trafic a peu à peu cessé. Quelques voitures, pleins phares, balaient encore la surface grumeleuse et font craquer le verglas en contournant le rond-point. *Gates Circle*, *Delaware Avenue*, *Forest Lawn Cemetery*... après quoi l'oreille les perd. Seuls quelques bars, quelques snacks minables doivent encore être ouverts entre *Huron Street* et *Tupper*, racolant les traînards. De loin, comme s'ils appartenaient à un monde dont m'aurait séparé un cataclysme, j'essaie d'imaginer ces silhouettes, dos arrondis, cols relevés, mesurant leurs pas sur la glace, chassés de biais par le blizzard, ou accotées contre les vitrines, sous un auvent, sous les arcades d'un magasin; quelques-uns, bien en vue, à l'angle d'un immeuble resté éclairé, et guettant Dieu sait quelle délivrance. Isolés partis à la recherche d'autres isolés. Nègres ou polacks tombés dans une dèche définitive, faisant indéfiniment le tour des mêmes blocs en quête d'une piécette blanche — « *A dime, sir, a dime !* » — qui leur permettra de s'imbiber un peu les tripes.

La distance, la sécurité de cette chambre, rendent-elles plus fraternelles ces ombres? Ceux qui somnolent dans la gare des cars, ou sur la banquette arrière d'une voiture volée. Ceux qui ne savent réellement pas où crécher, ou au contraire refusent de rentrer chez eux, cavaleurs invétérés pour qui ce désert redevient chaque soir un terrain de chasse. Ceux aussi qui plongeant dans des anfractuosités plus secrètes, *sauna*, *turkish bath*, cherchent à se donner l'illusion d'un printemps précoce au fond de ces alvéoles où la vapeur s'épaissit de ronflements gonflant des chairs adipeuses.

La nuit a fait surgir, éclairée par des milliers de lampes axiales, de projecteurs, une base spatiale curieusement quadrillée. Pourtant ce n'est pas encore le silence. A tout instant il peut voler en éclats. Avertisseur d'une ambulance venue du fond des quartiers polonais et arrivant en trombe au pavillon d'entrée. « *A baby* », dirait Edna si elle était encore là. Une consigne pour tous les gens du quartier. Les abords d'un hôpital doivent rester aussi rassurants que ceux d'une garderie d'enfants, d'une pension pour petits animaux dont les propriétaires sont en voyage.

Une crampe dans le bras gauche m'oblige à m'étendre à nouveau. Mais l'attente n'est plus la même. Toute anxiété a disparu. Nous approchons du but. Nous allons changer de climat.

Que la ville continue en bas d'exister, que la vie se maintienne ici et là — des gens écroulés sur des sophas, ne sachant à quoi raccrocher la conversation... quelques couples aussi célébrant le vieux rite sans beaucoup d'entrain... des jeunes gens à longs cheveux qui se passent de main en main une cigarette de marijuana — ne suffit pas à me distraire. L'aiguille des secondes cesse de s'affoler dans son boîtier; l'insecte a fini de tourner sur lui-même, immobilisé tout à coup. Le temps n'est plus que cette délivrance : absence de regard sur l'avenir.

Il m'arrive d'en sourire, sachant que personne ne verra ce sourire. Sans doute suis-je le seul dans cet hôpital à penser à autre chose qu'au moment où je pourrai le quitter. Que s'est-il passé ?... Plus d'un dirait : ce gars-là t'a jeté un sort.

De son visage — le silence s'y incruste — je connais à présent chaque détail. Émergence de la lèvre et du front dans ce profil à la fois diaphane et sauvage, apaisé et sensuel. Mince saillie du cartilage de l'oreille au-dessus du lobe. Léger relèvement de la paupière au fond de l'orbite... Gardant dans ses creux comme l'empreinte d'un pouce qui, d'un seul accent, d'une seule pression légèrement tournante, en aurait dégagé les reliefs, aplani les surfaces, avant de l'offrir à la vie. Différent certes sous cette lumière ainsi rabattue sur la tablette de verre et le repli du drap, mais dont on pourrait penser aussi qu'il est lui-même la source.

J'ai souvent envie d'en faire un croquis que je pourrais garder par la suite, comme ces artistes admis autrefois au chevet des malades célèbres. Y réussirais-je mieux que dans cette ébauche finalement lacérée par son modèle ? Croquis qui hélas ne pourrait être que médiocre, et ne laisserait affleurer que la fatigue, l'épuisement; rien du reste. Rien en tout cas de cette soudaine métamorphose, de ce silence déjà prêt à s'emplir de mots. Comment traduire cette sorte d'érosion lumineuse qui semble avoir fondu tous les contrastes comme, sur ces figures archaïques rongées par les vents solaires, le sourire ascétique qui semble ouvrir le masque vers l'intérieur ? C'est bien cela pourtant qu'il faudrait exprimer et fixer.

Je devrais dire ma surprise en constatant qu'avant l'anesthésie, alors qu'on le préparait pour la table d'opération, ils avaient respecté cette sauvagerie naturelle et laissé intacte cette abondante crinière qui continuait de souder la nuque et le cou à l'oreiller. Peut-être se sont-ils imaginé que le patient se conformait ainsi moins à une mode qu'à une règle plus secrète. Chevelure de scythe, de conquistador, d'écumeur, masque comme émacié par le sel à la proue de Dieu sait quelle galère. Je songe toujours en le voyant émerger à celui du Lord Maire de Cork, le fameux Terence Mac Swiney, mort après une grève de la faim de soixante treize jours, et dont une de mes parentes, Irlandaise par sa mère, conservait à son chevet la reproduction, image avec laquelle elle a voulu être enterrée. Dieu ait son âme!

Parfois, il s'éveille plus lentement; on dirait qu'il hésite entre plusieurs routes, passe devant ce hublot que le poète Larbaud compare à « une vitrine de boutique où l'on vendrait la mer ». Mer pour lui couverte d'épaves, d'appels remontés des fonds sur lesquels il ne parvient pas à s'immobiliser.

Pourtant, il me fait signe de m'approcher. Je vois ses lèvres remuer sans qu'il en sorte encore aucun son. Ou bien quelque chose dont je ne saisis pas le sens. Ou un lambeau de phrase portée comme un essaim sous des voûtes obscures. « ... avec une lanterne allumée... » Le début ne vient que plus tard : « Celui qui cherche le feu... » La fin paraît lui échapper. Il se tait, mais comme un homme qui marche dans les ténèbres, l'oreille tendue, cherchant à apercevoir des repères, cherchant à retrouver un chemin déjà parcouru. Soudain, un mot semble rouler sous ses pas, et on dirait qu'il s'arrête pour l'écouter rebondir dans le silence. On dirait qu'il s'efforce de l'insérer dans une phrase entendue autrefois, ou écrite par lui.

Son rire éclate clair tout à coup. Rire qui avait accueilli un trait ou une anecdote, le persiflage d'un snob, les bévues d'un maroufle, une rutilante obscénité, la lecture de *graffiti* aux abords d'une caserne près de Naples : *Ogni sera ho fatto i pompini ai militari*. Ragots, *gossips*, *petegolezze !*

Il referme bruyamment cette trappe. Les petits jeux des uns et des autres. Leurs histoires à n'en plus finir. Grandes et petites misères en marge de ladite société de consommation. On partousait ferme dans tous ces milieux. Il n'a fait que passer. Il n'a jamais été de leur bord. Il écarte. Il efface. Le soleil brille de nouveau sur Raguse ou sur le lac de Scutari. Géro remonte lentement vers l'Orient. Mais le terrain de sa mémoire reste encore bouleversé, et cette stratigraphie confuse ne lui permet pas pour l'instant de déterminer ce que les chercheurs appellent les niveaux.

« ... le monde sédentaire et le monde fluide... » Et le voici jeté à nouveau en pleine affaire parthe. Comprendrai-je un jour ce qui l'y ramène, ce qu'il y voit et quel sens il y attache? Pourquoi sa mémoire est à ce point encombrée par les complications de la politique arsacide, par ces échanges de populations et de couronnes, ces tractations secrètes, ces assassinats qui ont motivé l'intervention romaine? Pourquoi, avant d'en arriver à ce qui le concerne personnellement, il s'oblige à faire cet étrange détour? Il assiste à la conquête de l'Arabie pétrée, première phase de la conquête, accompagne les caravanes vers Bichâpour, Pasargade, et au-delà, sur cette route de la soie, du poivre et des perles. Se cite-t-il lui-même, ou bien cite-t-il une page d'Atarasso, prise dans les *Mélanges* ou dans les carnets?

« ... l'empereur, déjà terrassé à Babylone s'était fait porter jusqu'au rivage persique que les légions foulaient pour la première fois et il avait longuement observé les vaisseaux partant vers l'Orient. Alexandre était mort les yeux tournés vers Carthage, vers le chemin d'Énée, mais lui, l'Ombrien Andalou, restait comme frappé par le mirage inverse, devant cette porte que l'Occident mettrait plus de quinze siècles à franchir. S'était-il trompé de destin en combattant les Daces, en lançant un pont sur le Tage, en inscrivant ses victoires sur cette énorme colonne, spirale fatidique devenue vis sans fin? Soudain le monde avait cessé de lui appartenir. Ces triomphes où il ne figurerait pas, ces titres ajoutés à sa titulature ne représentaient plus qu'un dérisoire bruissement. Il s'était trop éloigné, il avait perdu le contact. Peut-être ne désirait-il plus qu'une chose : se retrouver seul dans une chambre vide, en un lieu inconnu? Il mesurait son déclin, la fantastique inanité de l'entreprise, à ce qui ne pouvait que lui échapper désormais et qui n'avait jamais eu d'autre maître que ce soleil barbare surgi à bout de piste et tout de suite au zénith, seul conquérant de ces espaces où les hommes n'inscrivent rien de plus que des cheminements d'insectes. Sa victoire pouvait-elle être autre chose qu'une révélation de cet ordre? Au-delà de cette frontière le temps basculait. Et l'amertume de ne pas avoir pu la traverser rendait presque vain ce retour. Elle le poursuivrait jusqu'à l'extrême limite, jusqu'à ce rendez-vous fixé en Cilicie, ouvrant devant lui, alors qu'il avait déjà renoncé, d'autres espaces, un autre mirage : le Caucase, l'Inde, la Chine... »

Un long silence vient interrompre cette citation que je ne resituerai que plus tard à sa vraie place. Il se laisse bousculer par les ressacs. Le fil se noue. Il passe d'une langue à l'autre au cours de la même phrase comme un ruisseau qui changerait de cours. Je n'arrive plus à capter ce qu'il dit. Pourtant nous approchons du but.

« ... *it has distinctly the fine violaceus tint of almandine*... » Cette fois nous y sommes. Il se retrouve dans l'escalier des antiques, devant la grille du cabinet des médailles. Le gardien vient lui ouvrir et le salue en touchant de son index la visière de sa casquette. Géro vient là en habitué. Très peu de gens partagent cette passion qui a marqué sa vie; il sait comment la satisfaire. Il sait où se trouvent ces collections et ne traverserait pas les pays sans réserver chaque fois à celles-ci quelques heures. Il pénètre dans ces chambres fortes avec le même respect que si, remontant dans le temps, il lui était possible de pénétrer dans le temple d'Éphèse ou dans la bibliothèque d'Alexandrie, ou de découvrir, sous la conduite de l'hiérophante, le Trésor des Athéniens à Delphes. Son visage change d'expression. Il passe devant les vitrines, observe longuement les gemmes, les intailles, les rouleaux.

Tourmaline, chrysobéryl, sardonyx, péridot... ces noms paraissent l'enchanter presque autant que les merveilles étalées sur ces présentoirs, mystérieux vocables, titres de noblesse du lapidaire. *Sang d'Isis! Œil mystique!* Noms, qui depuis les temps les plus reculés, depuis les ateliers de Suse et d'Égypte, semblent enfermer une irradiation dans la substance minérale, un sens caché dans les diaprures, les nervures des jaspes et des calcédoines, mais surtout la secrète jouissance, la folle avidité de tous ceux, papes ou empereurs, qui pour posséder ces objets n'ont pas hésité par la suite à troquer des cités contre un unique camée et quelquefois à engager des guerres pour s'emparer d'un rubis taillé ou d'un sceau.

Tout à coup son attention se détourne. Quelque chose va se produire qui marque le début de toute son aventure. Une trentaine de pas le séparent à peine de Sandra. « C'est là que je l'ai vue pour la première fois! » Il l'aperçoit au bout de la galerie, immobile elle aussi devant une vitrine dont il connaît si bien chaque pièce — *Achemenian gems, Hellenistic period, Etruscan and italic period, globolo style, Roman intaglios...* — qu'il lui semble possible de les situer à distance, chacune à sa place exacte, sur les panneaux garnis de velours ou tenue par des griffes de métal.

Quand cette rencontre avait eu lieu, Géro ignorait évidemment les conséquences extraordinaires qu'elle aurait pour lui ainsi que le rôle que la fille en question était appelée à jouer dans sa vie. Il admirait Atarasso, mais n'avait jamais réussi à l'approcher. Que celle-ci ait été, cinq ans plus tard, le truchement par lequel le contact s'est trouvé établi entre lui et cet homme singulier, prête à cette rencontre, reconstituée *a posteriori*, un certain caractère prémonitoire.

L'image telle qu'elle s'était fixée dans sa mémoire, telle

qu'il la décrivait (ou peut-être l'inventait) semble en effet à peine détachée de ces objets devenus sur celle-ci — mais il ne le comprendrait que plus tard — comme des signes fatidiques qui auraient dû éveiller sa défiance. Reflété dans la vitre, le corps de Sandra semblait de loin tout constellé de ces miraculeuses dépouilles : thyrse de Dionysos à la hauteur de l'épaule, antilopes, aigles, griffons encadrant le visage, Zeus-Ammon agrafé sur le sein, et glissant le long de la cuisse dans l'ouverture de la jupe, lion tendant la patte à Éros pour se faire extraire une épine. Tout cela tenait plus du mirage ou de l'avertissement que d'aucune réalité sensible.

C'est cette superposition qui semble l'avoir tellement frappé. Sandra avait d'abord été cette idole chargée de colliers, de fibules, de cachets impériaux. L'art le moins pathétique, le moins prolixe, s'était un instant réchauffé sur cette chair vivante, réveillant des symboles que le temps n'avait fait qu'éloigner. L'image resterait en Géro indélébile, pourtant indéchiffrable sous cette abondance de significations.

Sans doute le phénomène n'avait-il duré que quelques secondes. Déjà Sandra se dégageait de son propre reflet, et, après avoir contourné la grande vitrine située au centre de la rotonde, se dirigeait vers Géro et passait devant lui sans lui accorder un regard. La grille se refermait derrière elle. Ses pas résonnaient dans l'escalier, puis s'éloignaient dans la galerie des bustes au rez-de-chaussée.

Quand ils se retrouveraient, cinq ans plus tard, Sandra refuserait d'admettre qu'elle fût venue ce jour-là dans ce cabinet des médailles, alléguant qu'elle se trouvait en Iran avec son père à cette époque et que les circonstances d'une telle rencontre dans cette glyptothèque avaient été entièrement imaginées par Géro. Mais il est toujours demeuré ferme sur ce qu'il avançait. Pourquoi ne s'était-il pas décidé plus tôt à lui emboîter le pas et à la suivre? « J'ai couru à la grille, mais impossible de l'ouvrir. Le gardien avait disparu; quand il est revenu, c'était trop tard pour la rattraper. Je ne l'ai revue que plusieurs années après, au volant de l'*Austin* qui a failli m'arracher la jambe. S'il n'y avait pas eu cette grille et son système de fermeture électrique que seul le gardien pouvait faire fonctionner... Si j'avais réussi à l'emballer ce jour-là, tout aurait été dit; on n'en aurait plus reparlé par la suite. Rien ne serait arrivé... »

Mais au bout d'un moment, revenant sur cette affirmation : « Je crois que ça se serait quand même produit... que ça ne pouvait pas ne pas avoir lieu... »

Il semble s'éveiller tout à fait. Il prend le verre d'eau que je lui tends. Puis après avoir bu, il se renverse à nouveau, et les yeux au plafond : « J'ai souvent rêvé de finir mes jours dans un hôpital d'oiseaux... »

Il la revoit, figure voilée, tenant dans le creux de ses mains une lampe qu'elle approche de son visage. Sibylle, non pas vestale, encore que la plus lointaine, la plus inaccessible, la Cimmérienne, celle qu'oublient toujours les artistes — cruelle, dévoreuse, *vagina dentata !*

Il pousse un cri...

Si à ce moment, quand j'ai compris qu'ils m'avaient laissé seul dans cette forteresse de briques roses noircies par les incendies, les bûchers, mais également les fêtes, les embrasements, emportant avec eux le monstre absurde gonflé par moi au cours de ces semaines — rien dans ce manuscrit ne me semblait achevé, définitif — si je l'avais eue alors en face de moi, je me serais jeté sur elle et je l'aurais, je crois, étranglée. Mais elle avait filé avec le vieux, droit sur l'aéroport. Rien de ce qui se tramait n'avait filtré jusqu'à cette chambre que j'occupais à hauteur des toits, ouvrant sur le chemin de ronde du castello. J'étais si bien claustré dans ce réduit lambrissé de vieux cuir repoussé (on eût dit qu'une bande de chats sauvages s'y étaient fait les griffes), entre une table bancale sur laquelle s'amoncelaient les papiers dont j'ignorais de quel rapt ils allaient être l'objet et ce lit à courtines gênoises tombant en lambeaux où je passais mes journées à l'attendre et à regarder les mouches voler. Elle seule connaissait les voies et les issues. Ma défiance ne s'éveillait pas pour autant. Quand nous nous relevions au milieu de la nuit pour aller faire un tour dans les ruelles désertes de la petite cité, tassée au pied de ces murailles, et qu'il nous fallait au cours de la descente franchir tous ces obstacles, le mieux n'était-il pas de faire confiance à son instinct et à son sens de l'orientation. Assuré de reprendre l'avantage dès que nous nous retrouverions à l'extérieur, je me laissais guider par elle.

Une pareille caserne, il eût fallu avoir été guelfe cinq siècles plus tôt pour ne pas s'y perdre. Vides d'archers, de pertuisaniers, de camériers, de gonfaloniers, ces immenses salles, qui n'avaient connu d'autres luminaires que des torches baguées sur les murs, des pots de résine, l'incandescence des souches dans les cheminées monumentales, creusaient de profonds canyons au cœur de la citadelle. Les caisses contenant les collections — des tessons, des bas-reliefs, des cylindres, le trésor de Chosroès et de Vologèse, l'art des steppes... — s'empilaient jusqu'aux clés des voûtes, obstruaient ce dédale et compliquaient nos sorties. Qui se fût engagé dans ces avenues, dans la profondeur de ces temples, sans en avoir en tête le relevé ? Pas de nuit plus enfouie, plus hérissée de périls. Même si une ogive dessinait ici et là ses frisures et ses colonnettes sur le ciel, le mieux n'était-il pas de naviguer dans le sillage de ce corps quelques instants plus tôt mêlé au mien ? Ces descentes, ces remontées, ces galeries de mine, ces puits ajoutaient un espace, des risques à nos ébats, à nos fatigues. Finalement, nous débouchions au pied des tours. Nous contournions le campanile, le baptistère. Des fontaines déversaient leur trop-plein dans des rigoles entre les pavés. Nos pieds nus faisaient résonner les dalles voûtant l'ancien marché romain enfoncé sous la terre. Des odeurs de cave s'échangeaient, à travers les soupiraux, les grilles des latomies ou des thermes, avec les senteurs trop suaves le long des jardins clos. Nous traversions de biais d'immenses places. Nous poursuivions nos ombres sous les arcades devant les stores baissés des magasins d'épices. Soudain

Sandra s'enlevait devant moi, aspirée par son élan. Je lui donnais l'illusion de fuir, lui laissant caresser d'avance tout l'artifice de sa défaite. Nous refaisions en courant presque tout le tour de la ville. Peu à peu je regagnais du terrain, l'aiguillonnant de mon souffle. Elle finissait par s'arrêter. Je la plaquais alors contre une des colonnes du cloître et, après l'avoir à moitié dévêtue (moi-même torse nu, une corde maintenant autour de mes reins un vieux *jean* rapiécé, effiloché sur les chevilles) je lui fustigeais par petits coups secs les genoux et les cuisses au moyen d'un rameau arraché au passage. Sa fureur s'étouffait dans une morsure vaine. Écrasant contre elle l'amulette de quartz qui resterait imprimée entre ses seins, je la sentais s'ouvrir, glisser dans le creux de la vague qui, l'instant d'après, la soulevait et la plaquait de nouveau contre moi. J'ouvrais un sillon dans la fertilité de cette chair devenue mon seul vêtement, mon unique habitat. Enfoui, je m'extrayais enfin, d'une seule poussée, de cette caverne de sel et de pluie. « Géro ! Géro ! » Je restais sourd à cet appel. Bientôt le jour allait poindre. La lampe du petit oratoire continuait à éclairer le porche des *Frari*, tout au fond du jardin. Je plongeais mon visage dans la vasque, puis je lui faisais signe de s'approcher. Effleurant du bras toute la surface du bassin je l'aspergeais plusieurs fois de cette eau restée fraîche entre les cannelures du marbre. Tout s'achevait sur ce rite. Nous revenions ruisselants, enlacés comme deux amants qui remontent de la plage.

Tout cet épisode de mon séjour chez Atarasso s'inscrit dans ce climat d'euphorie et de totale disponibilité. Il y avait eu l'accident — alors que je descendais à pied vers le sud de la botte, Sandra m'avait accroché dans un tournant — mais celui-ci, finalement bénin, n'est pas la cause directe de l'endormissement de mes réflexes habituels de fuite et d'autonomie.

Pour des raisons qui m'échappent en partie, j'avais accepté cette mise au secret dans ce château, et seul un enchevêtrement de causes lointaines pourrait expliquer que je m'y sois plié et l'aie si facilement acceptée.

L'allégorie romanesque de toute cette aventure qui m'avait permis à la fois de retrouver Sandra et de pénétrer dans cette demeure — celle où je désirais le plus me voir un jour introduit — n'est certes pas à écarter. L'obligation où je me suis trouvé d'y vivre pendant des semaines dans une soupente seulement accessible par les toits en glacis et le chemin de ronde, pourrait fournir un chapitre intitulé : *Mes prisons*. Je n'écarte pas le fait que ce décor assez inattendu ait éveillé en moi plus de curiosité que de soupçons. Toujours est-il qu'ayant été relevé sur le bas-côté de la route aussitôt après l'accident je me suis réveillé entre ces murs comme un héros de roman noir, enlevé à la suite d'un duel qui l'a laissé pour mort sur le terrain, puis transporté dans une mansarde ou une caverne de brigands, soigné là par des mains inconnues...

ou encore comme un simple héros de mélodrame qui, pour être plus près de sa maîtresse, se laisse enfermer dans un placard.

Cause plus réelle, bien que moins aperçue par moi, de cette durable euphorie, le travail effectué sur ces textes qu'on me demandait de revoir. Pour moi, au début, une façon courtoise de m'acquitter envers mon hôte — même si l'état de santé de celui-ci ne lui permettait pas pour le moment de me recevoir et de me demander directement de procéder à cette révision. En somme, une manière de payer mon hébergement. Or voici que ce passe-temps, d'abord destiné à remplir les heures creuses de ces journées interminables, commençait à fournir un aliment de choix à mon attente jusqu'au moment où Sandra venait me rejoindre. L'ennui se changeait en exaltation, comme si ce jeu auquel on me priait de prendre part me traçait une voie nouvelle, rallumant les flambeaux d'une fête oubliée. Voilà que je me sentais plus libre entre ces murs à aligner ainsi des mots, à proposer en marge des synonymes, à corriger des lapsus, des défaillances de style ou de syntaxe, à retrancher, puis à rajouter des phrases de mon cru sur ces brouillons, sur les pages de ces carnets — à moi remises au jour le jour — et finalement à leur adjoindre des paragraphes entiers, bientôt des chapitres... plus libre certes, infiniment plus heureux que je ne l'avais jamais été auparavant à courir sur les routes et dans aucune autre circonstance. Dirai-je que, toute admiration pour Atarasso mise à part, je ne prenais pas très au sérieux les textes qui m'étaient ainsi communiqués et que j'y voyais plutôt un exercice un peu vain de la part d'un aussi grand esprit. En me livrant à ces variations autour des thèmes ainsi proposés, j'agissais avec d'autant moins de scrupules et de timidité que je savais bien que je n'aurais pas à endosser les profits et les pertes, que tout cela ne tirait guère à conséquence et était en réalité un moyen imaginé par Sandra pour que je trouve le temps moins long.

Autre raison de cette euphorie, cet accord physique entre nous deux, l'orgueil de me dire que cette fille qui m'était tombée dans les bras était la fille de l'homme que je poursuivais depuis si longtemps, enfin l'alternance entre ce confinement et nos vagabondages nocturnes. Ceux-ci nous vengeaient de toutes ces contraintes — différentes certes pour chacun de nous — et nous permettaient de nous détendre les muscles dans cette ville endormie, sans grand souci des convenances ni d'être aperçus ou suivis, ou même ramassés par les flics. Il n'y en avait guère à cette heure-là, mais Grisha et ses sbires auraient pu se lancer à nos trousses et nous observer.

(Je reparlerai de ce Grisha, ancien mercenaire au Congo, engagé comme chauffeur d'Andréas Italo, en réalité garde du corps, presque homme de main, et dont la mission était d'ouvrir l'œil sur tout ce qui se passait aux abords et à l'intérieur du castello et de diriger les types que lui-même engageait pour veiller nuit et jour sur les caisses.) Cette possibilité d'être surpris nous excitait, je crois. Enfermés tout le jour, nous refusions de profiter des ombres, des renfoncements, indifférents aux regards qui auraient pu nous guetter, collés l'un à l'autre comme si le sol se soulevait lentement sous nos pieds.

Par ces naïves exhibitions nous nous efforcions d'exercer notre liberté d'emmurés en prenant ainsi chaque nuit le large. Ce délit conscient nous entraînait à faire sa part à l'illusion, au simulacre. Si une nécessité impérieuse nous obligeait à effectuer ces sorties, celles-ci nous permettaient également de repousser la satiété, d'aller à la poursuite d'une sorte de renouveau sous le signe d'un péril imminent au fond de quelque éden sauvage.

A la vérité jamais moins de paroles (et plus de mots!) n'ont contribué à réunir ou à séparer un couple. Peut-être était-ce là notre lien le plus véridique, dans un rapport tout occasionnel dont nous sentions la précarité, greffé sur cette connivence nocturne, sexuellement du moins équilibrée. Ce n'est que beaucoup plus tard que les choses me sont apparues dans une réalité toute différente.

Mais pour m'en tenir à ce qu'étaient à ce moment mes réactions, comment ne pas évoquer ce vague sentiment de culpabilité envers cet homme que j'avais tellement désiré connaître et que le hasard me permettait d'approcher, sans me donner pourtant la possibilité de m'entretenir avec lui. Je l'avais dressé sur un piédestal, mais c'était de ma part une singulière façon d'honorer ce respect et cette admiration, de répondre à son hospitalité, que de coucher avec sa fille sous son propre toit — et certainement pas à l'insu du personnel et des larbins.

Était-elle vraiment sa fille? L'avait-il seulement adoptée? Ou bien le lien qui attachait Sandra au vieil homme, maintenant vaincu par la maladie, était-il d'une tout autre nature qu'un soin pieux, que le culte rendu à un esprit supérieur?

Elle eût refusé de répondre. Cette pénombre continuait de cerner cet amour qu'elle n'avait pas à justifier ni à trahir devant moi. Ce mystère — le mystère de cette présence — nous rapprochait dans le silence parfois établi entre nous, alors qu'elle venait de mentionner une soudaine aggravation de l'état de son père. Et moi je ne pouvais le rejoindre qu'à travers elle. Mais elle se taisait le plus souvent quand je l'interrogeais. J'étais pris dans ce filet. Je croyais que je l'aidais à supporter sa solitude; que, même désespérée par l'état d'Andréas Italo, il ne lui était guère possible de se passer d'un homme jeune à ses côtés. L'inquiétude rôdait entre ces murs, le long de ces couloirs. Un appel pouvait retentir à l'autre bout du castello qui l'obligerait à partir aussitôt. Elle restait néanmoins. Notre complicité m'apparaissait soudain vaguement incestueuse, comme si, dans l'ombre de ce père prestigieux et farouche, nous redevenions comme un frère et une sœur que la peur d'un orage ou la rancune provoquée par une réprimande chasse dans le même lit, et qui, pour échapper à l'angoisse, à l'humiliation, pour se venger d'eux-mêmes et des autres, n'ont pas d'autre choix que de s'enfouir mutuellement et de se révéler l'un à l'autre.

Oui, comment aurais-je pu savoir ce qui se préparait? Si quelqu'un eût pu m'en avertir, ce n'eût certes pas été un des domestiques, tous tenus au doigt et à l'œil par ce Grisha, chef des gardiens du trésor, chef de la police privée d'Atarasso.

Le type mérite une parenthèse. La trentaine tout au plus. Belle tête de slave occidentalisé montée sur les pectoraux et le plexus solaire d'un Monsieur Muscles. Un « affreux » qui ayant compris à temps qu'il valait mieux pour lui se désintoxiquer de la gâchette et du lance-flammes, avait réussi à se *recycler* entre Capri et Cinecitta, aussi disponible pour figurer dans un rodéo tourné en Sardaigne ou en Calabre que pour n'importe quel emploi auprès de milliardaires voyageant dans la péninsule.

Ces diverses qualifications le désignaient pour remplir cette double fonction : gorille et surveillant. Il avait dû être engagé peu après l'arrivée à Brindisi de l'illustrissime *professore* et de sa fille sur un bateau spécialement affrété à Beyrouth pour le transport des caisses, et alors que Sandra, ayant laissé son père se reposer d'un voyage pour lui épuisant dans une clinique de Lecce, remontait vers le nord en voiture, à la recherche d'une demeure vaste, aux murs épais, aux fenêtres garnies de barreaux, pouvant abriter temporairement l'inestimable butin.

Cette grande bâtisse fortifiée répondait effectivement à ces nécessités. Grisha avait su se rendre indispensable à ses nouveaux maîtres. Pourtant, n'ayant pas, lui non plus, accès auprès du patron — lequel avait été installé dans la seule partie vraiment habitable de toute cette construction datant du XVe siècle — il ne recevait ses ordres qu'à travers Sandra, et sans qu'il lui fût possible de les discuter ni de savoir quelle marge d'interprétation elle se réservait dans la transmission et l'exécution de ceux-ci.

Qu'il m'ait vu arriver là sans plaisir, peut-être sur ses brisées (où l'avait-elle piqué? avait-elle aussi couché avec lui?) me semble souligné par le parti qu'il avait pris de m'ignorer et même d'éviter de venir rôder de mon côté. Montrer de la jalousie n'est pas une réaction habituelle chez un être d'un tempérament aussi mercenaire. Solidement installé dans la place, bel objet animal — et pourquoi pas phallique à l'occasion? — s'estimant satisfait pourvu qu'il se sentît maître sur son terrain et qu'il pût continuer de jouer les shérifs et de terroriser la valetaille.

J'avais peu de contacts avec le personnel. Sans doute méprisaient-ils en moi l'étranger : celui qui ne s'assied pas à la table du patron, n'a d'autre coin pour dormir que les combles, oubliant que la chambre que j'occupais avait peut-être été autrefois le refuge de l'alchimiste, de l'astrologue du prince ou du podestat. Tout juste s'ils ne s'imaginaient pas que j'avais fait exprès de me faire accrocher par le garde-boue de l'*Austin*, prétexte cousu de fil blanc pour me faire dorloter à l'œil et pour forcer la porte de cette demeure, la plus inaccessible aux intrus. La signorina quand elle m'avait envoyé valser dans ce tournant en épingle à cheveux n'avait pas de licence de conduite : pas question de me faire transporter dans un hôpital qui n'eût pu que prévenir la police. Ils devaient donc penser que j'avais exercé un chantage, peut-être même exigé de l'argent. En revanche ils étaient loin de se douter que je l'avais tout de suite reconnue, que j'avais tout de suite su à qui j'avais affaire, (le gardien du cabinet des Médailles m'ayant dit qui elle était).

Comme ces gens voyaient que, bien que remis sur pied,

il n'était pas question de me mettre à la porte, ils se gardaient bien de me montrer leur hostilité quand ils me rencontraient sur les terrasses et le chemin de ronde. Se tenaient-ils pour responsables eux aussi de ce « trésor » qui, s'il avait été étalé sous leurs yeux, n'eût représenté pour eux qu'un amas de débris informes, d'ustensiles cabossés et inutilisables, sans valeur, de figures étranges ayant certainement le mauvais œil. Mais voilà que la radio lui consacrait des émissions, que les journaux, les magazines le présentaient au public dans des articles bourrés de mots savants et d'invraisemblables estimations pour certaines pièces abondamment décrites, photographiées sous tous les angles. Ne devaient-ils pas se tenir sur leur garde et se montrer plus prudents à mon égard que la signorina ?

Quand j'avais été ramené là après l'accident et qu'un docteur aussitôt mandé leur avait dit de me déshabiller, ils avaient bien vu ce que j'avais dans mes poches : quelques centaines de lires, un passeport en loques, probablement périmé. Pour eux, j'étais le loup maigre dans la bergerie. Ils connaissaient bien cette race d'étrangers faméliques, tous *beatniks*, venus de partout, déferlant sur la péninsule à partir du solstice de juin, agglutinés devant les musées, les églises, aux entrées des autoroutes, qui, si la police stradale ne les eût pris en chasse, n'eussent pas manqué de faire des barrages et de rançonner les touristes. Des garçons prêts à tout — dans l'opinion qu'ils s'étaient faite de ces barbares hâves et chevelus — prêts à monnayer tout ce qui peut l'être, à se louer pour la plonge, à se vendre en échange d'un plat de lasagnes, d'une fiasque de Chianti, ou contre quatre cents bornes au compteur — concurrence évidemment déloyale envers tous les petits truqueurs, tous les petits rufians locaux vivant eux aussi sur le dos de la clientèle étrangère.

Pour tous les domestiques du castello j'étais nécessairement du côté de ces envahisseurs saisonniers. Qu'aurais-je pu attendre d'eux? Comment aurais-je récompensé leur délation même s'ils avaient eu le courage de passer outre aux recommandations de Grisha et de dominer la crainte que celui-ci leur inspirait? Pour eux cette vaste opération amphibie, aéroportée, pouvait être subsidiairement, dans l'esprit de leurs maîtres, un moyen de se débarrasser de moi. Laissé sur place, je n'aurais plus qu'à quitter les lieux et à aller chercher ailleurs couvert et pitance chez d'autres gogos richissimes.

Rien donc n'avait filtré. Tout avait été réalisé en un temps record. Six ou sept heures tout au plus. Le temps pour moi de retrouver mes esprits après une absorption massive d'alcool qui, étant donné mon manque d'habitude de ces muffées et aussi un état de moindre résistance dû au manque d'exercice, m'avait si bien assommé que j'étais resté sourd à tout ce qui se passait en bas. Réveil d'autant plus immédiat qu'un silence insolite régnait ce matin-là dans cette énorme bâtisse comme dans une carrière qui aurait été brusquement abandonnée par les ouvriers. Les cours étaient vides, le personnel avait disparu; il ne restait plus que quelques pigeons dans les corniches et autour de la vasque au centre du grand cortile.

Un instant a dû me traverser l'esprit l'idée que l'événement dont la menace restait en suspens avait fini par se produire et qu'Atarasso était mort dans la nuit. Je suis revenu dans ma chambre pour enfiler un *tee-shirt* et un pantalon, et c'est alors que je me suis aperçu que sur la table les feuillets avaient disparu. Fait lui aussi inexplicable, et qui ne suffisait pas à faire la lumière sur le reste. Et pourquoi le jeune Pietro qui m'apportait chaque matin le petit déjeuner et les journaux ne s'était-il pas encore présenté, veste blanche impeccable, cou serré dans le col officier, tenant son plateau en équilibre comme s'il s'avançait sur un parquet ciré? A condition de laisser de côté la plupart des questions que j'aurais aimé parfois lui poser, il bavardait volontiers, uniquement affecté à mon service. Lui non plus ne m'avait pas averti, et j'étais loin de me douter qu'en même temps que les autres il avait disparu la veille, après avoir monté mon dîner.

Il fallait bien aller aux nouvelles, et pour cela descendre aux étages inférieurs, parcourir ces galeries, ces salles que je ne traversais que la nuit. Combien j'avais été berné, je n'ai vraiment commencé à le comprendre qu'en constatant que celles-ci étaient vides, que les caisses, les fameuses caisses avaient disparu, que toutes avaient été enlevées et acheminées au cours de cette même nuit.

La chose paraissait si incroyable que j'ai pensé un moment qu'elles avaient été entreposées ailleurs, ce qui m'a amené à visiter les caves, les souterrains et à parcourir l'édifice du haut en bas. Je voyais bien qu'elles n'étaient plus nulle part, que tout le monde avait vidé les lieux, que le corps central d'habitation, la tour du Maure, n'était plus occupé.

Comment un tel plan d'évacuation avait-il pu être exécuté en un délai si court? Rien de comparable dans la péninsule depuis le déménagement de Monte-Cassino sous le bombardement, lors de l'avance alliée vers Rome. Mais il fallait se rendre à l'évidence et mesurer l'ampleur de l'entreprise à l'importance des moyens nécessairement mis en œuvre. On ne réalise rien de tel, sous aucune latitude, sans la collaboration des états-majors — l'armée avait fourni des véhicules — de la police des routes — elle avait fourni une escorte pour accompagner le convoi — et même des services secrets.

J'ai tout de même fini par découvrir âme qui vive en la personne du portier, à califourchon sur une chaise, à l'entrée de la poterne. Il s'est contenté de me saluer d'un signe de tête, tout en continuant à se balancer. « *Partiti! Partiti!... tutti partiti!* » C'est tout ce que j'ai pu tirer de lui. La herse avait été relevée; l'accès restait libre si des gens voulaient visiter. L'homme retrouvait ses fonctions de gardien et les gratifications afférentes à celles-ci. Sa femme finit par se montrer sur la porte de sa loge. « *Si per caso il signore desidera rimanere qualche giorno qui...* » C'était elle qui me préparerait mes repas, matin et soir, selon les ordres qu'elle avait reçus de la signorina. Bon Dieu, quand j'y repense, on n'aurait pu trouver de pire moyen de me signifier mon congé.

Ces deux-là devaient trouver que j'avais mis du temps à comprendre et que l'on m'avait joué un sacré tour. Mais je me souciais bien de leur mépris ou de leur compassion. Partis! soit, je ne le voyais que trop. Mais pourquoi une telle hâte, un secret si bien gardé? Et dans quelle direction cette file de camions plombés avait-elle été envoyée?

Des témoins... j'étais bien naïf de croire que j'allais en trouver en dehors de ces murs. Il y avait un marché, une foire plutôt. Ruelles encombrées de remorques, de camions; places couvertes d'éventaires, fruits et légumes, fleurs et fromages, moutons et volailles; stands de présentation, ustensiles ménagers et machines agricoles. Comment se faire entendre à travers ces criées, cette cacophonie d'animaux, d'avertisseurs, d'offres braillées par mégaphones? J'avais beau m'adresser à des personnes installées sur des bancs à des terrasses de cafés, ou restées au volant de leur voiture, le résultat était le même : personne n'avait rien vu, rien entendu. Les murs n'avaient pas tremblé, les chiens n'avaient pas aboyé. Personne n'avait été réveillé en sursaut par le convoi en question. S'étaient-ils eux aussi donné le mot? A croire que cette nuit-là tous ces fichus magots avaient avalé la même dose de somnifère! Et pourtant plus d'un devait être au courant : ceux-là même qui se montraient le plus étonnés par mon insistance.

J'ai dû perdre pas mal de temps à m'égosiller de la sorte sans recueillir le moindre indice. Et pourtant, encore une fois, rien de tel ne s'improvise au pied levé. Combien de conférences préparatoires entre les responsables de l'opération!

Des semaines, des mois avaient été nécessaires pour tout mettre au point. Après de subtiles tractations avec les autorités à divers niveaux (et jusqu'au ministère, jusqu'aux services culturels intéressés par ce transfert), il avait fallu faire appel à un personnel nombreux et spécialisé. Non, rien de tel ne s'improvise en une nuit.

Je commençais à prendre un peu de recul et à reconstituer tout le complot. Malgré de singulières dispositions à plier les gens devant lui, à penser et à agir à leur place, Atarasso n'avait pu conduire, même de loin, une pareille entreprise. Qu'il fût descendu de son Ararat, de son Elbrouz métaphysiques pour prendre part à ces préparatifs était évidemment hors de question.

(J'étais bien placé désormais pour découvrir sa face cachée, ses rancunes, ses petitesses, ses obsessions de vieillard traversées d'intuitions fulgurantes, parfois fumeuses, ayant eu en main au cours de ces semaines l'ensemble des notes rédigées par lui. Mieux vaudrait dire : *griffonnées* par lui, en marge de ses travaux et de ses randonnées archéologiques, et réparties sur presque un demi-siècle. On y trouvait de tout : des considérations à la Toynbee, des aperçus de géo-politicien quelque peu visionnaire, des confidences touchant sa vie privée et même des poèmes, des sortes de prophéties lyriques où il avait pensé mettre l'essentiel. Tout cela en français, mais dans un français souvent approximatif, et qui faisait parfois songer à une assez mauvaise traduction. Qu'il eût jamais pensé livrer ces choses au public m'avait toujours paru douteux : de mauvais esprits auraient pu y voir moins un complément de sa gloire qu'une suite de réflexions, souvent hâtives, et qui n'ajoutaient rien à celle-ci. Oui je savais trop bien ce qui avait occupé son esprit jusqu'à ces derniers mois, avant la chute finale, jusqu'à ce lent glissement vers l'aphasie que Sandra s'était efforcée de cacher, pour imaginer qu'il avait réuni autour de lui les responsables de l'opération, prêté l'oreille à leurs discussions et à leurs avis.)

Seule Sandra semblait désignée pour prendre les initiatives nécessaires. Seule elle avait assez de volonté et de jugeote, pour arrêter ce plan dans les moindres détails : l'itinéraire et la destination. Celle-ci est demeurée longtemps secrète : un îlot fortifié entre Naples et Gaëte où les caisses resteraient jusqu'à la mort de l'illustrissime, jusqu'au jour où leur contenu, dûment expertorié, reparaîtrait dans les vitrines de la future Fondation Atarasso, près du Musée oriental, à Venise. (A Venise où Atarasso a passé son enfance et où sa vocation s'est éveillée, cette passion pour les antiquités orientales, face à l'Adriatique qui a été historiquement le premier couloir d'accès par lequel ces dépouilles arrachées à des temples, à des tombeaux sont arrivées en Europe, comme en témoignent les vestiges pris dans les soubassements de la basilique, à l'entrée du palais ducal.)

Seule Sandra avait donc mené toute l'affaire. Après son départ dans l'ambulance qui avait transporté Atarasso jusqu'à la piste d'envol la plus proche, Grisha était resté jusqu'au chargement de la dernière caisse. Mais il n'était plus là à mon réveil, ayant suivi le convoi des camions.

Comment deviner les raisons pour lesquelles Sandra avait tenu à m'écarter de ce projet? J'ai passé trois jours à errer dans ces salles désertes attendant un signe quelconque, une explication. Aucun appel téléphonique, aucun message. Je trouvais les portes de nouveau verrouillées, cadenassées, ce qui limitait peu à peu mes allées et venues. Mes repas continuaient de m'être préparés; un des gosses du portier me les montait. C'est par lui que j'ai appris comment le personnel, après avoir reçu de fortes gratifications, avait été licencié avec ordre de départ immédiat : personne ne devait se trouver dans l'enceinte du castello au lever du soleil. Je ne rêvais pas : c'était moi que toutes ces mesures visaient.

Ce spectaculaire procédé d'élimination n'en demeurait que

plus énigmatique. Rien dans mes rapports avec Sandra n'avait été de nature à m'avertir d'un semblable revirement, de son désir de voir notre aventure se terminer. J'avais toujours pensé que se sachant si totalement dominée par son père, ce qui l'avait jetée vers moi c'était moins une impulsion des sens que le besoin de rompre cet envoûtement. Je l'aidais à écarter l'angoisse de ce vieil homme, cette lente agonie qu'elle était obligée d'accompagner tout le jour, mais qu'elle semblait oublier quand nous étions ensemble. D'où cette frénésie, ces simulacres de la violence, les étranges jeux inventés par nous.

Il me semblait que dès le début cette violence avait marqué notre rencontre. Nous continuions à nous heurter, à nous cabosser, à nous emboutir... peut-être aussi à nous prêter assistance. Par la suite, entre nous, le rapport des forces avait changé : c'était moi qui, après l'avoir portée dans mes bras, la déposais sur le lit. Sur ce lit où traînaient encore les feuillets détachés des carnets d'Atarasso. Je les retrouverais plus tard, froissés. Jouait-elle l'indifférence? Cette profanation ajoutait-elle à son plaisir? Ou bien avait-elle réellement oublié qui elle était, où nous étions? Je croyais tenir entre mes mains un visage d'enfant qui vient de traverser une forêt et qui demande qu'on écarte de lui les images qui le hantent. Soudain l'oubli la transfigurait, une sorte de délivrance. Je la voyais s'éveiller, revenir à la vie du fond des ténèbres. Son corps m'acceptait, acceptait le rythme où je l'invitais. Mais au fond de ses yeux continuait de briller un lac noir. Je la possédais sans la connaître; elle se laissait vaincre, mais je ne parvenais pas à la déchiffrer. Peu m'importait d'ailleurs, je me croyais son maître, et qu'elle était faite pour être domptée, subjuguée. Une idée stupide me venait, créant en moi une sorte de jubilation, l'idée que ce pouvoir tendait à égaler, sinon à remplacer, celui qui l'avait maintenue jusque-là dans une étroite dépendance : l'idée que son père et moi lui étions tous deux nécessaires, indispensables. J'étais son cavalier. Nos échappées matinales, nos courses sur ces pavés où commençait à se déposer la rosée d'octobre, venaient à la suite de ce dressage savant.

Du moins avais-je vécu dans cette illusion. Du moins Sandra avait-elle tout fait pour m'y enfermer. C'est parce qu'il me restait quelque chose de ce bizarre fantasme que, tantôt furieux, tantôt déprimé, je n'arrivais pas à prendre le parti de m'en aller et de gagner Rome où m'attendait mon vieil ami Saturnado qui m'aurait certainement aidé à chasser ces chimères. C'était à Rome que je me rendais quand l'accident avait eu lieu; Saturnado m'avait donc attendu tout l'été et il devait se demander une fois de plus où j'étais passé.

Je continuais à me raccrocher à cette certitude qu'une aventure aussi singulière ne pouvait s'achever de façon aussi médiocre. J'étais persuadé que j'allais voir Sandra revenir au volant de son Austin, passer en trombe devant la loge du portier et s'arrêter devant l'escalier monumental du cortile après avoir chassé les pigeons sur les toits. Mais rien de tel ne se produisait. Sans doute continuait-on à me nourrir, mais le ménage de ma chambre n'était plus fait. Menus sobrement touristiques, toujours les mêmes plats; comme si par ce manque de nouveauté et d'excitation culinaire on m'engageait à vider les lieux.

Si je quittais le castello je perdais définitivement le contact. Je me souvenais des efforts que j'avais déployés pour approcher Atarasso. Notamment, cette malencontreuse affaire de camée; lequel ne devait pas avoir une origine plus ancienne que la cassette des Médicis, ce qui à ses yeux ne lui conférait pas plus de valeur que s'il eût été fabriqué en série pour une boutique du *Ponte Vecchio*. Trop d'efforts, jamais couronnés de succès, pour que l'incroyable hasard qui m'avait amené là, donné accès à ses papiers personnels, me disposât à lâcher prise aussi facilement.

D'autre part c'était bien la première fois que je me faisais débarquer ainsi. A force de ruminer certains faits, le terrain de mes certitudes devenait moins solide. Avais-je jamais pris la peine de me demander qui était Sandra? Je commençais à apercevoir un être tout différent de celui à qui je m'étais cru d'une certaine façon associé dans l'ombre portée de ce père farouche. Et comme les images de notre intimité revenaient toujours les premières je me souvenais de cette distance qu'impliquait tout à coup ce regard, étrangement lucide, détaché de toute participation à cette transe trop savante, qui m'atteignait parfois, alors que nous roulions d'un bord à l'autre comme sur une mer démontée. Regard qui semblait me peser, m'estimer en valeur exacte, calculer, supputer ce qu'il y avait à attendre de moi en dehors de ce gaspillage de forces dont le résultat final était de nous tirer les traits et de nous donner d'extraordinaires fringales. Pourquoi n'avais-je pas reconnu dans ces yeux qui m'interrogeaient autre chose que l'attente paralysante de l'orgasme? Ce que je lui donnais, n'importe quel homme aurait pu le lui donner, et Grisha entre autres, en marge de ses multiples attributions. Mais ce qu'elle ne pouvait espérer que de moi seul — et qu'elle n'eût pu requérir d'aucun autre à ce moment — cela j'étais empêché de le voir. Ce stupide, ce monumental orgueil de mâle — de mâle qui se croit au centre de la création et s'émerveille de ce dont la nature l'a pourvu pour répondre à ce genre d'éventualités chaque fois qu'elles se présentent — me détournait du but principal et lointain poursuivi par Sandra et, insidieusement, presque chastement recouvert des apparences de sa « nymphomanie »; tous ces débordements tendant de sa part à voiler un tout autre projet, infiniment plus malsain et accapareur que ces jeux, après tout innocents et futiles.

Le temps la pressait. D'autre part elle était résolue à payer le prix. Si j'avais cru reconnaître un signe du destin dans le banal incident qui nous avait mis en présence, elle aussi, certainement, avait dû voir briller le même signe et saluer cette chance à l'instant où elle la poursuivait, avec de moins en moins d'espoir de découvrir l'oiseau rare, alors qu'empêchée de s'éloigner trop longtemps d'Andréas Italo, il ne lui était guère possible de se rendre à Rome ou à Milan, ou mieux encore à Paris, où il lui eût été évidemment plus facile de mettre la main sur ce genre de collaborateur occulte.

Avec moi, ç'avait été tout seul : je lui avais été livré en quelque sorte à domicile. Elle n'avait même pas eu à se présenter. Atarasso, ce nom m'ouvrait les portes du ciel ! Mon immense naïveté la laissait pure de tout calcul. Bénévole certes, et comme auréolée de cette présence mythique. Océanide surgie des flots pour m'inviter à descendre avec elle au fond de la mer pour visiter les trésors accumulés dans le palais paternel.

Par la suite, le programme s'était révélé quelque peu différent. Je ne m'étais pas assis parmi les convives à la table du festin. Le roi, trop malade, n'avait pu m'accueillir en personne. Le palais, transformé en partie en infirmerie, j'avais dû me contenter de cette chambre étouffante, mais alchimique par les signes qu'on pouvait découvrir entre les poutres du plafond en grimpant sur une chaise.

L'idée que le maître des lieux pouvait ne pas être au courant de ma présence; que mon installation dans cette soupente n'était pour Sandra qu'un moyen de cacher à son père une chose qu'il n'eût pas approuvée, qu'il eût même considérée comme une offense grave à sa personne, cette idée-là non plus ne m'avait pas effleuré. Tout ce qu'avait d'incroyable cette aventure ne laissait place en moi qu'à l'euphorie. Et de plus le monstre qui déjà me guettait avait choisi les apparences d'une jeunesse d'autant plus mystérieuse que, contrairement à l'idée qu'on se fait du mystère, elle semblait plus offerte, plus libérée de toutes les convenances et de tous les préjugés.

Ainsi les choses s'étaient-elles passées. Sandra avait tout conduit depuis le début, tout calculé avec une extraordinaire duplicité : nos disputes, nos raccommodements, ces discussions apparemment désintéressées autour de ces textes extorqués l'un à la suite de l'autre; tout, jusqu'à nos obscures retrouvailles, nos fuites simulées, ces bizarres défis portés à la nuit, et enfin nos retours, aux approches du matin, le long des murs clos derrière lesquels les oiseaux commençaient à pépier dans les arbres. Et je ne la reverrais pas jusqu'à la nuit suivante; elle me laissait occupé par cette tâche, certaine que cette confrontation avec le passé, les étranges cogitations d'Andréas Italo, m'absorberait suffisamment. « Je peux? » demandait-elle le soir en soulevant les feuillets étalés sur ma table. Comment n'avais-je pas compris en la voyant lire attentivement ce que j'avais écrit dans la journée? Version si différente de celle qu'elle m'avait mise sous les yeux qu'il n'était même plus possible de considérer celle-ci comme un brouillon, comme une ébauche, et encore moins comme un prétexte. Quelquefois tout était de mon cru; mais sans paraître s'en aviser, elle me demandait de lui confier ces pages pour les montrer à son père, osant cet énorme mensonge; comme si une telle chose eût seulement été imaginable; comme s'il eût pu accepter de se voir à ce point travesti, métamorphosé. Depuis longtemps, c'était moi qui parlais, et pour moi seul. Sandra avait toujours feint de ne pas s'en apercevoir.

Et maintenant, j'avais beau me démener comme un malheureux canasson oublié devant une mangeoire vide, les raisons de toute cette mise en scène m'échappaient. Mais j'étais loin encore de pouvoir apprécier le machiavélisme dont elle avait fait preuve en mettant sur pied toute cette machination. En vérité, je crois que j'étais réellement sonné. Un pareil dénouement passait à tel point les blessures de l'amour-propre et de l'amour bafoué, il impliquait un si total mépris, qu'il m'acculait plus à un sentiment de totale dérision qu'à celui d'une énigme qui m'eût été proposée.

Tout n'est devenu parfaitement clair que quatre ans plus tard, à New York, V^e avenue, alors que je passais devant la librairie de Rockefeller Center. Je dis quatre années, mais il y en avait déjà trois que le cercueil plombé contenant les restes d'Atarasso, ramené en Orient, avait été descendu, privilège exceptionnel, dans une des tombes autrefois fouillée par lui au bord de l'Euphrate.

Pour lors, hésitant à reprendre la route et à aller retrouver à Rome ce brave Saturnado, j'étais bien incapable de deviner quel genre d'instrument j'avais pu être entre les mains de Sandra. Mon éviction avait été réalisée d'une façon si parfaite que j'en éprouvais presque de l'admiration et une sorte de satisfaction masochiste.

Plus encore que le déménagement de toutes ces caisses, ce qui me stupéfiait c'était qu'elle eût réussi à mouvoir Atarasso après l'avoir convaincu de la nécessité de ce déplacement. Exagérait-elle quand elle me décrivait son état comme celui d'un homme qui peut mourir d'une minute à l'autre, en sursis de l'avis de tous les médecins qui se succédaient à son chevet, depuis qu'il avait dû quitter le Proche-Orient, et passer la main à l'équipe d'archéologues américains qui, sous la direction du professeur Molionidès d'Harvard, travailleraient désormais sur les chantiers autrefois ouverts par lui. En me communiquant ces nouvelles, répondait-elle seulement à mon insatiable curiosité envers tout ce qui concernait Andréas Italo, ou bien était-ce pour elle un moyen de m'amener à entreprendre au plus tôt « ce travail de révision et de mise en ordre »? Poussait-elle au noir afin de dramatiser la situation et de me faire partager une sorte de responsabilité morale? Par la suite, a-t-elle voulu, en me communiquant son anxiété, m'empêcher de relâcher mon effort?

(Le fait est que cet effort ne me coûtait nullement. J'avais été déçu par les premiers textes que j'avais eus en main, mais en même temps flatté par une telle confiance, étonné et intéressé par ce coup du sort qui me permettait de voir de l'intérieur le personnage.)

Peut-être Sandra reculait-elle ainsi le moment où, pour répondre à la promesse qu'elle m'avait faite, elle m'amènerait jusqu'à lui, profitant d'une amélioration passagère.

(« Même s'il ne vous parle pas, il sait ce que vous avez entrepris et il aura certainement un geste pour vous remercier. »)

Ce moment-là n'était jamais venu, et je ne puis dire que je l'aie vraiment regretté. Je me sentais coupable envers cet homme. Moins à cause de Sandra et moi qu'à cause de la façon plutôt désinvolte dont, incapable que j'étais de m'appliquer à un travail aussi fastidieux, je traitais ses notes, n'en respectant ni la lettre ni l'esprit, en vérité comme un simple tremplin pour ma propre imagination, comme une invitation à un pur délire verbal que je me serais bien gardé d'authentifier. Qui s'en aviserait jamais? Qui m'en demanderait raison? Je ne falsifiais pas; je ne jouais pas les « nègres » : je repartais à vide. De mon point de vue, la véritable grandeur d'Atarasso n'était pas là. Cette somme de confidences et de réflexions inactuelles, ce monologue souvent embrouillé sapaient plutôt l'image que je voulais avoir de lui. J'avais fini par le perdre en route. Comment justifier tout cela si je devais un jour l'affronter? Comment lui dire qu'il écrivait mal?... Il eût fallu tout récrire sous sa dictée, et encore... Non je ne tenais pas à me trouver en face de lui et à devoir soutenir son regard. Ce qui avait toujours été la face cachée de cet astre n'ajoutait rien à son rayonnement. Il y avait même dans ces carnets, certains détails, certaines notes marginales que j'aurais préféré n'avoir jamais eus sous les yeux.

D'après Sandra, l'homme était physiquement intransportable. Une sorte de bloc marmoréen, enveloppé de prescriptions qu'il fallait suivre à la lettre et à la seconde près. Patient difficile, toujours entouré de gardes, d'infirmières, de médecins, souvent mandés de Milan ou de Rome; lesquels, lorsque les marchés bloquaient les abords du castello, arrivaient de l'aérodrome précédés par les motocyclistes de la police. Pour tous ceux, savants ou journalistes, qui rêvaient encore de l'approcher, ne fût-ce qu'un instant, ce secret maintenu autour de lui était devenu source de mythe. Il avait toujours été craint. Les gens avaient toujours tremblé autour de lui. Combien ces heures devaient lui sembler interminables! Depuis que le mal l'avait terrassé une sorte de refus était entré en lui : il ne supportait pas d'avoir vécu si longtemps, et maintenant de survivre en dehors de toute nécessité, monument à ses yeux vide de sens et qui allait bientôt s'écrouler. Oui, il eût paru plus aisé de transporter Palmyre ou Ségeste sur les rives de l'Hudson, ou même le bas-relief de Chapour taillé dans la roche, que de le changer de chambre ou d'étage, ou de changer l'orientation de son lit.

Mais rien n'avait tenu contre la volonté de Sandra. Personne ne savait où ils étaient; tous deux semblaient avoir rejoint les profondeurs chtoniennes. Quant au convoi, on eût dit que la mer s'était aussitôt refermée derrière lui comme après le passage de la colonne biblique. Pourtant, sous mes yeux, la lumière restait la même. Le campanile continuait de dresser ses ferronneries héraldiques sur le fond bleuté des collines. Quand je me penchais au-dessus de ces cours désertes je voyais un palais abandonné en temps de peste. De la dernière plate-forme, sous cette lourde carapace de toits et de terrasses, la cité médiévale ressemblait toujours à un bouclier bizarrement cabossé, oublié dans le paysage.

Je dis que le voile ne s'est déchiré que quatre ans plus tard, à New York cette fois. Il était question ce jour-là d'un meeting de non-violents organisé à *Central Park* qui m'avait entraîné hors de mes limites habituelles, au-delà de la frontière marquée par la 42e rue. Je remontais à pied la Ve Avenue. A cause des flics qui s'efforçaient d'endiguer sur les trottoirs cette foule de pacifistes, afin de dégager la circulation sur la chaussée, l'atmosphère semblait assez lourde. J'avais bien autre chose en tête que mon équipée italienne et la façon peu reluisante dont elle s'était terminée. Je pensais l'avoir chassée de ma mémoire. Et c'est pourtant ce jour-là, dans le malaise ambiant traduit par tous ces visages tendus, avides ou inquiets, affichant le mépris ou l'indifférence, au centre de cette artère où le long des façades de grands drapeaux étoilés se déployaient dans le vent comme une sorte de noble réprobation, de réponse hostile à cette menace véhiculée par le cortège qui allait se former à quelques blocs de là, que la lumière s'est faite brusquement dans mon esprit relativement à cette affaire que je croyais à tout jamais enterrée.

Pour ça il m'a suffi d'apercevoir au passage, d'avoir le regard accroché par un certain titre dans cette vitrine de *Rockefeller Center* et de le reconnaître, parmi les dernières nouveautés publiées en Europe, flottant au centre de ce grand aquarium sous les reflets de cette foule de plus en plus dense : *Description d'un Empire terrestre !*...

J'ai reçu là un fameux choc. Le coup le plus fantastique qui m'ait jamais été porté et qu'un homme en pleine possession de son bon sens puisse se voir assener en pleine rue au milieu de tous ces gens qui à ce moment avaient bien d'autres chats à fouetter que de s'intéresser à une histoire aussi compliquée, aussi étrangère à leurs préoccupations immédiates. De toute façon la question du meeting s'est trouvée pour moi dépassée dès que, m'étant précipité dans la librairie, j'ai commencé à feuilleter le bouquin.

A partir de là tout s'est trouvé expliqué, tout est devenu simple, brutalement, et aveuglante la ruse ourdie par la fille d'Atarasso. J'avais emporté le livre, négligeant de passer à la caisse, trop certain que celui-ci m'appartenait de droit et que, si un employé venait à m'en faire la remarque, il me serait facile d'obtenir à l'instant des excuses.

Je me revois fendant la foule en sens inverse, tournant le dos au meeting, et continuant à parcourir l'ouvrage tout en marchant, piquant ici et là des phrases que j'aurais pu réciter les yeux fermés, les oreilles remplies d'une crépitation de mots que je retrouvais à mesure comme d'anciennes respirations, des mouvements inscrits au fond de mes muscles. Tout était là. Rien n'avait été retranché ou changé. Cette évidence fustigeait en moi une agitation depuis longtemps assoupie. Je m'éveillais. Je sortais d'une de ces hallucinations collectives sur lesquelles s'achevaient souvent mes nuits au Village, parmi les garçons et les filles que je côtoyais maintenant. Une colère salubre me soulevait. J'allais devoir me jeter dans la lutte, répondre à ce défi; il n'y avait pas une minute à perdre. Je traversais à contre-courant le flot de ces non-violents, de ces *hippies* portant parfois des gosses sur leurs épaules, et qui s'apprêtaient à déployer leurs banderoles, à hausser leurs pancartes, à clamer leurs slogans entre les barrières qui, dans *Central Park*, les isoleraient des autres promeneurs, silencieux et indifférents. J'avais en moi une vérité toute neuve, toute prête à éclater, qui me gonflait la poitrine, me faisait battre le cœur, et me mettait des ailes aux talons. Je me sentais appelé, désigné par elle. Un but autrement réalisable dans l'immédiat que tout ce que ces manifestants pouvaient espérer de leurs discours sur les droits civiques, le sexe ou la drogue. Peut-être étais-je le seul concerné. Mais toute vérité appartient en définitive au monde entier, et j'en serais le témoin, non pas occulte, anonyme : l'irrécusable instrument. J'en serais la parole vivante, le scandale, le fer de lance... Une aussi monstrueuse, une aussi extravagante et ridicule captation... Rien de pareil ne s'était vu, à aucun moment de l'histoire. Rien de semblable n'avait jamais été tenté sous le soleil pour maquiller un cadavre. Le monde en resterait stupéfait et honteux. L'affaire marquerait les annales de la fraude. J'avais en main toutes les preuves. Sandra n'aurait pas le dernier mot. La *pilleuse*, la *dévoreuse* allait voir se déchaîner contre elle tous les honnêtes gens. Et moi j'assisterais à cela. On ne m'achèterait pas. Je ne me laisserais pas faire. Je la tenais et elle ne réussirait pas à me déposséder. J'étais si certain à ce moment que dans quelques jours le scandale allait s'étaler dans toute la presse internationale, être repris d'heure en heure par tous les *flashes* d'information, à la radio et à la télévision, que j'en éprouvais presque un sentiment de pitié pour cette malheureuse qui avait cru possible d'accréditer cette fable et qu'on assimilerait désormais à toutes ces veuves, à toutes ces sœurs abusives qui ont cru pouvoir remodeler le masque du génie sur le visage de la mort.

Mais cela ne se passerait que quatre ans plus tard, et à un moment où je penserais avoir réussi à extirper cette Europe totémique, alourdie de rancunes, de préjugés... Pour lors, continuant de ruminer ma déconvenue, guettant un quelconque prolongement à l'aventure que je croyais avoir vécue, j'étais aussi étranger à cette révélation et aux réactions ridiculement pathétiques qu'elle provoquerait en moi, que les hommes peuvent l'être à ce que l'avenir leur réserve. Mes yeux restaient fermés à la plus subtile machination greffée sur ce compte-à-rebours dont à aucun moment, pendant tout le temps que j'avais vécu entre ces murs, alignant chaque jour ma copie, je n'avais entendu tomber les secondes fatidiques. Je me sentais blessé dans ma dignité. Quel homme se priverait de s'enfler d'invectives et de menaces en pareille occasion?

Sandra m'avait bafoué, ridiculisé à mes yeux, évidé de ma substance comme une huître, comme une palourde, époumoné de mon souffle : je remontais à la surface les bras vides. Et pourtant l'expérience vécue ensemble se révélait peu à peu différente. Quelle était donc cette chose que je n'avais pas aperçue, que je n'avais pas reconnue sur le moment, que j'avais préféré ignorer dans l'étouffante précarité de nos nuits? Distincte de nos gestes, tendue vers quelque miraculeuse attente, comme si nos souffles échangés, nos respirations confondues, nos caresses, le don mutuel, ce dur et cruel affrontement, cette rivalité dans le plaisir, nous délivraient de nous-mêmes et de ce monde clos et terrible où la mort de ce dieu invisible que nous trahissions à chaque seconde nous enfermait. Qu'il fût lui aussi prisonnier de ces murs, vieux roi de gloire bientôt oblitéré par ses nécrologies, ne le rendait que plus présent. Nous le poussions vers son sépulcre, mais il restait notre lien, la rémission de la faute ainsi perpétrée. Avait-il tant de part à cette joie, mirage dionysiaque de l'anxiété ? Lui seul nous permettait de résister à cet obscur déferlement, à cette retombée sur nous-mêmes dans la blanche foulée de l'orgasme, comme si, du fond de son agonie, il détachait de notre honte une promesse de résurrection.

Je me souvenais de cette attente. L'image de Sandra finissait par s'estomper. L'aventure avait porté d'autres fruits : cette soudaine turbulence verbale, cet irrépressible mouvement intérieur dès que je commençais à déchiffrer ces carnets, dès qu'échappant à leurs suggestions je me laissais emporter par les mots...

C'est cette liberté-là qui venait de m'être reprise. Ce départ brusqué se soldait par une soudaine déperdition : l'arrêt de ce rythme impérieux. J'étais dans la situation du type qui reste court au milieu d'une phrase et qui, butant sur un mot comme sur un obstacle qu'il n'arrive pas à franchir, comprend que la source est tarie, que l'hydre de son imagination n'est plus qu'une baudruche flasque, une vieille cornemuse trouée, incapable de donner aucun son.

Cet étrange équilibre, cet équilibre enfin trouvé, dépendait-il si étroitement des circonstances ? Ce bloquage était bien la conséquence la moins attendue de cette rupture. Le fluide ne passait plus — ni reçu ni transmis désormais. Les batteries étaient à plat. Cette fois je resterais sur le bas-côté de la route. Bien que ma vanité ne fût en rien littéraire (à aucun moment je n'avais pensé à profiter pour moi-même des possibilités ainsi ouvertes) le grippage du mécanisme produisait en moi un sentiment de perte et de frustration qui venait s'ajouter au reste. Je connaissais trop bien mes limites, je me souvenais trop d'anciens échecs pour porter seulement à mon compte ces velléités de création et prendre au sérieux ce grand déploiement de nuées. Ce que je reprochais maintenant à Sandra, c'était de m'avoir privé de la force qu'elle me donnait. Il fallait refermer cette parenthèse, mais il n'était pas si facile de s'y résoudre. Parfois il m'avait semblé que quelque chose commençait, ou recommençait; que ma vie avait pris un certain tour imprévisible. Pour fallacieux que fût cet équilibre, je ne pouvais penser que seule une suite de hasards m'y eût amené. Maintenant que tout était terminé, je me sentais comme poreux, incapable de retenir ces forces qui m'avaient traversé. Ces mots, tous ces mots... étaient-ils les miens? Me les avait-on seulement confiés pour voir ce que j'en ferais? Mais je m'étais prêté à ce jeu. Ce miracle éphémère m'octroyait-il d'autres droits? J'avais beau n'accorder que peu de prix à tout ce qui avait pu me sortir de la tête au cours de ces semaines, il me venait un doute : n'avais-je pas revêtu un fantôme de ce qu'il y avait en moi de plus vivant, de plus réel?... Cette possibilité de nommer, de donner forme à l'informe, d'enfermer la réalité fuyante... Et j'avais eu de la joie à le faire, de la joie à dilapider mon avoir, de la joie à rejoindre une vérité qui depuis longtemps voulait en moi s'exprimer.

J'allais repartir, mais ce bonheur de créer pour la seule joie de créer, comme une sorte d'accomplissement vital, je n'en serais jamais plus possédé. Rythme essentiel, tout proche de la nature. Tropismes, gravitations, multiplications cellulaires... Peut-être m'étais-je seulement libéré d'une longue contrainte?...

Ce que j'avais à dire, je l'avais dit pour un autre. Sans lui, je retrouvais ma pesanteur, mon inaptitude. J'allais être ballotté de nouveau entre divers courants, sans trouver mon attache, mon visage, mes gestes, mon identité. Je n'avais su que me défaire. Sandra me chassait moins de ces murs que de moi-même, de cette illusion gonflée de mots qui fonderait la vérité d'un autre.

Mais j'anticipe dangereusement en présentant ainsi les faits, clairement rétablis dans leur chronologie, selon des paliers successifs, et en amenant ici et là d'utiles conclusions morales. Ce clair regard sécurisant qui stratifie le temps écoulé, l'étage comme une fontaine en rocailles dont on espère un beau débit, a-t-il jamais appartenu à la vie? La réalité brute, pleinement équivoque, a sans doute été plus opaque.

C'est maintenant seulement que je puis situer tous ces événements à leur vraie place et voir se dénouer cette énigme qui n'a cessé de se présenter de façon différente, entraînant dans ce changement les protagonistes, et faisant apparaître chez eux d'autres intentions que celles que sur le moment les faits semblaient notifier.

C'est maintenant seulement que je puis relever certains aspects, certains détails qui me sont restés obscurs ou cachés et dont je n'ai pu reconnaître alors qu'ils pussent avoir valeur d'avertissements. Et pourtant ces signes prémonitoires n'ont pas cessé de jalonner ce bizarre périple dont le sens ne m'a été révélé qu'à la fin, lors de ma toute dernière rencontre avec Sandra : quand elle a accepté de jouer cette fois cartes sur table, me laissant le choix et l'appréciation du dernier geste qu'il me restait encore à faire pour en terminer avec elle-même et avec Andréas Italo, et pour que cette conclusion fût valable et à jamais définitive.

Au commencement, je l'ai déjà signalé, il y a eu cette curieuse rencontre au Cabinet des Médailles. J'ai longtemps gardé cette image inscrite pendant quelques secondes au centre de ce zodiaque. Bien des années après... si je fais le calcul cela doit faire quelque chose comme neuf ans... j'ai cru saisir la vérité derrière une autre glace... dans cette devanture de la Ve Avenue. Pourtant, si entre ces deux moments Sandra était devenue pour moi un être nettement localisable dans mon existence, cette deuxième révélation ne me permettait pas pour autant de la situer définitivement entre son reflet et sa réalité, entre sa ruse et une vérité plus lointaine. Ce ne serait donc encore qu'une étape dans le déchiffrement de nos rapports et de ce qui me liait à elle depuis le début. Une étape... une simple étape avant le renoncement, le silence, l'acceptation joyeuse du silence.

La parenthèse atarassienne momentanément refermée, Géro a donc repris la route. Soleil d'octobre. Ciel plus léger. Mais dans quelles dispositions d'esprit?

Que j'aille en Enfer ô Pandharnatt !
Est-ce là ton secret désir, ta Volonté ?

Cette marche le libérait et, plus efficient que tous les préceptes, l'espace... et la liberté d'en disposer. Ces paysages de la Sabine lui permettaient de secouer ce désordre moral et d'en terminer avec un confinement qui, s'il se fût prolongé tout l'hiver sur cette tour des vents, n'eût pas manqué de le remplir de rhumatismes et de lui faire fondre les muscles des jambes. Géro se retrouvait à son rythme, dans sa foulée, souple, non précipitée, les orteils à l'air sur ses fameuses sandales et, coincée sous son bras, lui servant d'accoudoir, sa non moins fameuse sacoche. Du moins est-ce ainsi que je l'imagine, *blue jeans* rapiécés, poncho ou blouson, veste eskimo ou magyare, sauvage toujours photogénique aux abords de la quarantaine, mais paraissant au jugé dix ans de moins.

Il est possible que je pousse un peu sur les accessoires, mais la période qui suit ce départ du castello souffre de graves lacunes et ne se rétablit pour moi que dans les perspectives, très anarchiques, qui ont toujours été celles de sa vie. Qu'il ait éprouvé une vive satisfaction à se retrouver ainsi dans le paysage alors qu'il ne tenait qu'à lui, pour se rendre à Rome, de se caler dans un car ou d'aller attendre le premier train à la gare suivante, répond à cette exigence pédestre qui a toujours été pour lui le plus sûr moyen de se remettre les idées en place. Je parierais qu'il a dû refuser plusieurs fois les offres de routiers bloquant à sa hauteur leur train de remorques ou leurs étincelantes citernes de mazout pour l'inviter à occuper la place libre dans la cabine de pilotage. Cette haute silhouette de pèlerin védique, visible de loin sur le bas-côté de la route, devait pas mal intriguer les gens, les touristes surtout. Je gagerais de même que de lourdes *Plymouth*, des *Ford Impala* portant les plaques minéralogiques du Washington State ou du Nouveau-Mexique ont dû ralentir, et que, par une des portières, entre des vêtements accrochés sur des cintres et encore dans les enveloppes de *pressing*, il a dû voir surgir plus d'une fois un objectif photographique.

Ainsi je m'efforce de l'accompagner le long de la *Via Salaria* pendant cette marche silencieuse vers Rome. Sans doute avait-il déjà parcouru cette région des Abruzzes septentrionales; c'était la route qu'il eût dû suivre trois mois plus tôt s'il n'eût été arrêté en chemin. Tenant d'une main un *panino* et de l'autre une boîte de lait, le visage bien éclairé par ce soleil horizontal qui lui lissait les traits, il se retrouvait dans les mêmes dispositions, sans projet immédiat, et même s'il lui restait un arrière-goût d'amertume refusant malgré tout de maudire la vie. Peut-être se récitait-il à mi-voix ce poème de la Perle du Swami Paramânanda, disciple de Vivekananda :

Plonge profond!
Plonge plus profond encore et cherche
Peut-être ne trouveras-tu rien la première fois!

Je le lui ai entendu souvent murmurer et j'ai fini par en retrouver le texte :

Ceux qui ignorent le Secret
ceux-là se moqueront de toi...
C'est la Foi qui t'aidera à trouver le trésor
La Foi qui fera que ce qui était caché
Te soit enfin révélé.

A Rome l'attendait à la consigne de *Stazione Termini* une malle d'osier expédiée de Turin au début de l'été. Il y a retrouvé également son ami Saturnado — sans doute le peintre dont on peut voir des compositions cinétistes ici, dans plusieurs musées, et notamment au Guggenheim — et s'est probablement installé dans l'atelier de celui-ci.

Provinciale et cosmopolite, Rome était devenue pour lui une sorte de port d'attache; il y connaissait tout le monde et tout le monde le connaissait. Qu'il n'ait soufflé mot à personne de l'aventure qu'il venait de vivre, peut s'expliquer aussi bien par son désir d'enterrer celle-ci que par la crainte de voir l'anecdote faire aussitôt le tour de la ville. Dans un pays où les langues n'ont pas besoin d'être déliées ni la curiosité sollicitée, son séjour chez Atarasso, étant donné la personnalité de l'*illustrissimo professore*, n'eût pas manqué de prêter à toute sorte de commentaires.

Mais ce silence, par la suite, quand Géro s'efforcerait de New York d'amorcer le scandale, se retournerait contre lui. Il verrait se dresser contre ce qu'il affirmerait alors — allégations jugées aussitôt impudentes et mensongères — ceux-là même qui n'eussent pas manqué de colporter lesdites révélations si Géro les eût produites dès son retour à Rome, alors que les faits avancés par lui pouvaient paraître plausibles et être facilement vérifiés, et alors que le maître étant encore de ce monde pouvait se défendre et contre-attaquer. Géro, en ne disant pas où il avait passé l'été, s'est privé de ce qui aurait pu être pour lui un commencement de preuve; il a laissé filer une chance d'être cru. Bien sûr tout lui commandait de se taire : on ne voit pas ce qu'il eût pu rapporter de plus que le fait qu'après un accident sans gravité sa convalescence s'était prolongée dans le castello. De plus il n'avait jamais été admis chez Atarasso que comme un invité clandestin, et jamais en présence du maître (ce qui retirerait du crédit à ses affirmations). Même s'il réussissait plus tard à retrouver des domestiques qui avaient servi là, ceux-ci pourraient toujours prétendre qu'ils ne l'avaient jamais vu, ou répondre qu'ils ignoraient à quoi il passait ses journées.

Très vite la situation s'est retournée, le privant pour l'avenir de toute possibilité d'action. Ce qui eût été admissible au début est devenu inconcevable après la mort d'Atarasso, survenue au printemps suivant dans une clinique de Milan, et soulevant aussitôt dans le monde entier un véritable maelström nécrologique. A partir de là, et jusqu'à la publication du livre — alors que Géro venait de regagner les États-Unis — Andréas Italo Atarasso n'a plus cessé d'occuper l'opinion. D'abord quand on avait appris qu'il léguait à l'état italien la presque totalité de ses médailles et de ses collections mésopotamiennes, ainsi que sa bibliothèque — à part quelques legs destinés à des universités américaines qui l'avaient aidé à poursuivre les fouilles — et ensuite quand on avait su que les trois quarts de sa fortune iraient à une fondation ouverte au public et aux spécialistes, distribuant chaque année des bourses à de jeunes archéologues pour la poursuite et la publication de leurs travaux, fondation désormais installée à Venise sur le Grand Canal dans un bâtiment proche du Musée oriental. Un geste aussi grandiose eût suffi à le rendre intouchable alors qu'il existait déjà une légende autour du personnage : avec lui l'Italie tenait son Schliemann, son Evans. Cette légende n'avait pas attendu pour se développer que le cercueil ait été ramené en Orient et déposé dans cette tombe royale au bord de l'Euphrate, et comme le grand public considérait avec une certaine crainte tous ces gris-gris plus ou moins magiques exposés désormais dans ces vitrines, une sorte de superstition venait se mêler à cette admiration et aux hommages posthumes.

Même si la sortie, trois ans plus tard, de *Description d'un Empire terrestre* a fait l'effet d'une bombe dans le monde des lettres et provoqué quelque étonnement, cette bombe était assurée d'un exceptionnel lancement. On admirait que le savant eût montré tant de discrétion et si bien voilé son style dans les livres et les articles déjà publiés par lui. C'était encore plus inattendu que le succès du *Guépard* où l'on voyait une sorte de précédent. Le prince de la science avait suivi le même cheminement occulte que le prince sicilien. Mort, sa gloire ne pouvait porter ombrage à qui que ce fût. Ainsi le *mythe* Atarasso s'est-il constitué dont la tentative de Géro — « une folie de plus! » — permettrait seulement de faire apparaître le caractère irréfragable. Tous les témoins, juges et critiques, que Géro s'efforcerait de rallier à sa cause, auraient déjà décerné tant d'éloges et de couronnes à cette divinité à double visage, que d'un commun accord tous refuseraient de revenir sur leurs appréciations et d'encourir le ridicule de s'être emballés sur un faux. Tous, savants ou chroniqueurs littéraires, amis personnels d'Atarasso (s'il en a jamais eus), et également ses homologues dans les divers secteurs de l'archéologie, de la numismatique et de la paléographie assyrienne et babylonienne, présenteraient le même front uni de défense. Et non seulement ceux-là, mais l'homme de la rue, de braves gens qui tiennent tout leur avoir culturel de la radio et de la télé : par une sorte de fascination rétrospective, de sentimentalité, par une sorte de nostalgie populaire du génie et de la gloire. Géro se trouverait pris de court, arrêté devant des positions si immuables qu'elles ne pourraient être révisées dans la suite que par de nouvelles lectures, des exégèses différentes de l'œuvre en question sans qu'à aucun moment son attribution puisse être remise en cause, et surtout au profit, au bénéfice d'un garçon dont on avait toujours accueilli favorablement les facéties, mais qui, en définitive, n'avait jamais fait que changer d'emploi et se livrer à d'amusantes variations dont aucune ne tirait à conséquence.

Trop de gens auraient intérêt à ce que ne fût pas entachée la mémoire d'Atarasso, son intégrité et cet aspect de son génie que la mort était venue révéler, pour qu'ils acceptent seulement de prêter l'oreille à d'aussi mesquines contestations. Il n'y aurait partout qu'une seule voix pour étouffer celle de Géro. En Amérique même, le vieux Molionidès, de sa chaire de Cambridge, élèverait une protestation indignée au nom de tous ceux qui se sentaient redevables envers le grand homme des progrès réalisés grâce à lui dans leurs disciplines, et il n'hésiterait pas à affirmer qu'il avait toujours eu connaissance de ces textes qui, bien que traduisant des préoccupations d'un tout autre ordre que scientifiques, n'avaient pu être écrits que par un homme habitué à voyager dans le temps, parmi les tombeaux et les dieux.

Si en France cette défense allait donner lieu à une nouvelle lecture *en profondeur* de l'œuvre, fondée sur un dégagement thématique et un examen sémantique et structurel, en Italie la réaction serait plus passionnelle. Et ce serait bien le moins de la part d'un pays qu'Atarasso venait ainsi de doter, rappelant par cette donation le rôle qui lui revenait — la Rome impériale et Venise — dans l'élaboration de ce concept occidental tant de fois transposé sur les rivages de l'Orient. Nulle part les efforts de Géro pour se faire reconnaître comme l'auteur de *Description d'un Empire terrestre* n'ont soulevé plus de colère, plus d'hilarité, et entraîné pour lui plus d'attaques infamantes.

J'ignore tout à fait à quoi il a passé son temps pendant

ces quatre années, quels ont pu être ses déplacements, ses ressources, ses nouvelles rencontres entre son retour à Rome et le moment où il s'est embarqué à Lisbonne sur un pétrolier qui regagnait les États-Unis. La liste d'activités diverses qui se trouve dans une des lettres reçues de ce Suisse retiré à Ouchy permet néanmoins de s'en faire une idée. Je ne refuse ni les contradictions de Géro ni son désordre intentionnel. Je veux bien qu'il ait restauré des fresques, des dessins rupestres, photographié les mosaïques de la chapelle palatine à Palerme, accompagné des touristes dans des grottes aux Indes. Sa bougeotte lui était aussi nécessaire qu'à d'autres une famille ou la sécurité de l'emploi. Si je fais le compte — donner des cours d'anglais chez Berlitz, tenir l'orgue dans une collégiale, apprendre à de jeunes bourgeois à monter à cheval ou à tenir un fleuret, faire un cours sur Vitruve ou Ledoux dans une académie... — si je fais le compte, il y a bien une dizaine de métiers intellectuels ou manuels qui pouvaient lui permettre de se débrouiller et de voir du pays. Il n'a pas dû s'en priver. Ne s'encombrer de rien pourrait être la règle apparente d'un tel « dérèglement ». Ce toubib d'Ouchy prétend que Géro s'est souvent trouvé acculé par le manque d'argent. S'il n'était pas homme à en amasser, sa liberté de mouvement passait par un minimum de ressources au-dessous duquel sa liberté eût été constamment entravée. Sa pauvreté reste un choix, une volonté. S'il lui est arrivé de faire des dettes, rien ne dit qu'il n'ait pas accepté ces emplois temporaires pour s'en acquitter. Et s'il lui est arrivé également d'habiter chez l'un ou chez l'autre, sans doute ceux-ci s'estimaient-ils assez payés par ce que Géro représentait à leurs yeux : une forme de détachement qui est peut-être une forme du courage, de l'honnêteté intellectuelle, du refus de s'en tenir à l'exploitation des dons reçus du ciel, d'en disposer pour soi seul et d'en vivre plus ou moins grassement.

De toute façon, ce vagabondage était achevé. Soudain, il y a eu cette grande rupture, ce schisme. Géro quittait l'Europe. Il ne reviendrait jamais en Orient. Les uns choisissent les Indes pour s'y perdre ou s'y régénérer, les autres la drogue pour se laisser couler à pic; pour lui ç'aura été l'Amérique et cette régression vers son enfance qu'un tel retour impliquait. Comment savoir ce qu'il a cru y retrouver : sa jeunesse dans le Tennessee et en Virginie? l'image de sa mère?... En tout cas, pas ce fameux clan familial qui l'avait toujours tenu à l'écart comme de souche bâtarde et française, et lui avait depuis longtemps coupé les vivres. Cela ne l'a pas empêché de se rendre à Nashville, mais il est vrai que sa mère y est enterrée.

Il a donc fait ce grand saut. S'était-il fatigué tout a coup de la vie qu'il menait depuis tant d'années, ou bien cette fatigue a-t-elle eu des causes physiques? Cette fièvre hépatique contractée, disait-il, en buvant l'eau pourrie d'un puits sur la frontière libyenne. Mal qui est peut-être à l'origine de l'abcès qui a nécessité son entrée à Redgrave Hospital.

A Nashville (Tennessee) une surprise l'attendait. La maison était toujours là, et dans la maison l'oncle Gast, le frère aîné de sa mère. Ce dernier l'avait accueilli comme s'il rentrait d'une excursion dans les *Great Smoky Mountains* (une excursion qui se serait prolongée un quart de siècle) et retrouvait tout naturellement sa place au foyer.

La maison était toujours là, blanche dans le feuillage, avec ses colonnes corinthiennes sur la façade, et cette ombre portée sur la pelouse dès que le soleil tournait.

Mais le clan s'était dispersé, qui l'avait rejeté autrefois, lui le fils du « maudit Français ». Les frères de Gast — Rufus, Tom et Alan — étaient morts, et récemment Gast avait mis à la porte les fils de ceux-ci et leurs épouses, à la suite d'un complot qui ne tendait à rien moins qu'à l'évincer de la direction de l'imprimerie au profit de ses jeunes neveux alors qu'il venait d'être frappé d'hémiplégie au cours d'un week-end à Monteagle. « Seule ta mère, dirait Gast à Géro en lui racontant cette affaire, aurait eu un comportement décent dans tout ceci, si elle avait été encore de ce monde, et bien qu'ayant elle aussi des fils (allusion aux deux autres garçons que Niki avait eus de son second mariage)... Elle présente dans cette maison, les choses se seraient passées différemment; l'idée ne leur serait pas venue de me considérer comme un impotent... Il est vrai que l'argent, ta mère n'a jamais su ce que c'était... uniquement le dépenser. Quant à l'imprimerie, qu'est-ce que c'était devenu déjà à ce moment ?... L'affaire tournait à perte; je payais les ouvriers en partie sur mon revenu... »

L'imprimerie vendue, le clan dispersé, Gast après cette alerte était demeuré sur place, mais il avait fait combler la piscine, enlever le portique, les tas de sable pour bien marquer que ses neveux et leurs enfants n'avaient plus rien à faire chez lui. Plus de vélos, de tricycles, de soucoupes volantes en matière plastique sur les pelouses. La nature et les jardiniers n'avaient eu qu'à s'en féliciter.

S'il était bien décidé à ne pas se laisser traiter comme un gâteux et à occuper seul la maison, le temps et la maladie avaient fait de Gast un autre homme. Depuis qu'empêché de se rendre sur ses lieux habituels de chasse et de pêche, *Pickwick*, *Wetts Bar*, *lacs Cherokee*, force lui avait été de remiser ses fusils et ses cannes, il devait se contenter de regarder pousser les crocus, ou, installé sur un balcon dans un fauteuil métallique, de regarder les écureuils écaler les graines sur le toit de la buanderie.

Presque tout cela Géro l'avait appris la veille, peu après son arrivée, du gardien du motel. En se pointant dans les parages ce matin-là, son intention n'était certes pas de se fourrer dans les jambes de Gast ni de revenir se frotter à quelqu'un qui l'avait toujours tenu à distance et considéré comme le produit peu avouable de quelque maladie que son irréprochable sœur, sa trop chère Niki, aurait contractée en Europe. (Comme il avait dû se reprocher de l'avoir laissée s'embarquer la première fois !) Maladie en tout cas dont il lui importait fort à l'époque, à lui Gast, de la guérir, d'abord en la détachant de ses pinceaux — cause initiale de sa fugue — et ensuite en la séparant de Géro — résultat trop tangible de celle-ci. Cela ne s'était pas fait en un jour, mais par paliers successifs. Difficile pour Gast de comprendre ce que cette radieuse écervelée pouvait avoir en tête, et si elle se prenait réellement pour une nouvelle Mary Cassatt. Pour Niki, plus de dix années de vagabondage à travers l'Europe et de navettes d'un bord à l'autre de l'Atlantique après la mort du père de Géro, survenue alors que le couple était déjà séparé. Le suicide du Français était apparu à Nashville comme une juste sanction. Niki n'avait pas rejoint le bercail, même si elle était assurée d'y être la plus belle, la plus géniale, la plus aimée par ses frères. Elle revenait, repartait, revenait... allées et venues épuisantes pour ses nerfs et pour ceux des autres. Ses rapports avec Gast avaient toujours été orageux; il suffisait à Géro de se souvenir des scènes, des disputes qui amenaient chaque fois ces départs. Mais qu'elle fût allée chercher un refuge à Munich ou à Londres, à Paris ou à Vienne, Gast continuait à lui expédier de l'argent. De son côté elle avait beau claironner qu'il n'était bon que pour ça, elle ne pouvait dire trois phrases sans le citer. Une pierre d'achoppement, un point de référence. « Tu lui ressembles trait pour trait! » répétait-elle à Géro. Elle lui écrivait de longues lettres, indéchiffrables et circonstanciées, trouvant une sorte de plaisir à attiser sa jalousie — une jalousie qui lui était nécessaire — ne lui épargnant rien de ses emballements, de ses toquades, de ses difficultés, lui racontant précisément les choses qu'elle eût mieux fait de lui cacher. Gast attendait son moment. La fougueuse Niki donnait des signes de fatigue; il lui arrivait de déchirer ses toiles, de briser ses chevalets; les drogues ne suffisaient plus à la calmer. Elle découvrait tout à coup que le génie de la famille serait Géro, non pas elle. Il fallait lui donner des maîtres, ne pas l'entraver. Comme elle avait dû assommer Gast en lui rebattant les oreilles avec l'avenir de son fils. Gast n'avait eu aucun mal à la persuader que la vie qu'elle imposait au garçon en le traînant à sa suite risquait de faire de lui, en fait de génie, un raté total. Gast allait gagner la partie, réussir à séparer la mère et le fils. Géro avait été mis dans un collège près de Cork, dans le sud de l'Irlande. Dans un collège, parce qu'il fallait bien qu'il fît tout de même des études. A Cork, parce que c'est une ville où l'on cultive la musique et où il pourrait donc trouver des maîtres. En Irlande, parce que selon les conceptions très personnelles que Niki avait de la géographie, ce pays était à mi-chemin entre l'Europe et l'Amérique et qu'ainsi elle pourrait s'y rendre plus facilement. Géro se trouvait à Trinity College à Dublin quand la guerre avait éclaté. Sa dernière visite à Nashville remontait à l'été de 1938. Il n'avait pas revu non plus sa mère. Gast cette fois avait réussi à la retenir définitivement en la mariant sur place et selon ses vues. En fait, sans les événements, il n'eût jamais obtenu ce beau doublé : la couper à la fois de l'Europe et de son fils.

« Les choses vont peut-être devenir plus difficiles entre nous deux... Je me marie... Ne perds pas ton temps à essayer de comprendre... Je vais bientôt avoir quarante ans... » Géro en avait à peine dix-huit quand il avait reçu cette annonce. Un incident de parcours. Cela ne durerait pas, avait-il pensé. Il était trop occupé, à ce moment, de ses premiers succès de garçon et de son physique. Il allait attendre chaque dimanche une certaine Maureen, originaire de Killarney, à la sortie du salut, et la raccompagnait à Dalkey, tout en maintenant entre elle et lui les distances d'usage. Il passait des heures à jouer de l'orgue et au hockey sur gazon. Il montait à cheval. Il savait par cœur *Eileen Aroon* et un tas d'autres chansons irlandaises. Il avait même réussi à ne plus être puceau. Il finirait bien par récupérer Niki. C'est le contraire qui s'est produit. La coupure s'est faite, un an et demi plus tard, alors qu'il marchait en bordure de la mer, entre Dalkey et Sandymount, la tête pleine d'un nouveau flirt. Il s'était assis sur un rocher, face à la baie, pour lire la lettre qu'il venait de recevoir de sa mère. Celle-ci lui apprenait que, six mois plus tôt, elle avait donné le jour à un garçon; elle n'avait pas osé lui en parler : « Cela doit te paraître aussi incroyable qu'à moi... » Cette gêne traçait soudain entre eux une frontière. Leur correspondance s'était espacée. Peut-être, obscurément, se disait-il que cet enfant tardif ne vivrait pas. Mais, quelques mois plus tard, Niki lui annonçait qu'elle allait être mère une nouvelle fois. Soudain, l'image qu'il gardait d'elle s'était brouillée. Celle qu'il avait toujours vue si détachée des conséquences de ses étourderies, si peu soucieuse d'ordre et de respectabilité, Nashville en peu de temps l'avait remise au pas. Niki avait fini par se laisser fasciner par ce mirage de décence et de stabilité, effaçant par là, rachetant toutes ses erreurs passées, — leur étonnante, leur merveilleuse vie d'autrefois.

C'était pour Géro le premier grand bouleversement de sa vie. Bien des hommes avaient traversé l'existence de sa mère, et enfant, il s'était souvent attaché à certains; plus tard désolé quand ils disparaissaient à l'horizon. L'un lui avait appris à nager, l'autre à monter à vélo. Et la première fois qu'on lui avait laissé faire quelques mètres au volant d'une voiture, celle-ci appartenait à un des cavaliers servants de Niki. Comme il lui était reconnaissant de ne s'intéresser qu'aux jeunes et jamais aux vieux. Il suivait des yeux leur manège, leurs travaux d'approche, se permettait d'intervenir auprès d'elle, de donner son avis personnel sur l'un ou sur l'autre; puis, quand ils avaient été admis, étaient devenus pour un temps (jamais très long) des familiers, il éprouvait une réelle satisfaction, esthétique, à les regarder se mouvoir, évoluer autour d'elle, plonger et nager avec elle, avant de revenir s'étendre au soleil à ses côtés. Comment en eût-il pris ombrage? Lui seul était assuré de la durée. Cela se passait à Capri ou à Portofino, au Portugal ou à Agadir. Niki, protégée par une immense capeline ou une petite casquette en tissu éponge, une serviette de bain croisée sur les seins et les hanches, ajoutait quelques touches à son esquisse, apparemment distraite, n'ayant l'air de regarder ni le motif ni la toile, et encore moins attentive à ce que lui disait le garçon allongé auprès d'elle.

C'est cette image-là qui l'avait toujours empêché de se poser d'autres questions sur ce qu'elle pouvait faire avec eux quand il n'était pas sur leurs talons. Ses craintes avaient toujours eu une autre source : quand il la voyait boire, s'intoxiquer; quand, alors qu'il faisait des gammes sur un piano amené à grands frais dans une de ces villas louées pour les mois d'hiver, il l'entendait aller et venir, ruminant son « échec », prise d'une soudaine panique, et qu'il savait qu'elle allait s'écrouler et rester ensuite comme prostrée. Quelque chose l'avertissait que rien n'aurait plus de poids, plus de réalité que cette présence indéchiffrable. Niki était derrière lui; elle lui disait de continuer. Cette retombée précipitée d'arpèges construisait un mur de silence autour d'eux. Des fruits garnissaient un plateau d'osier posé devant la fenêtre. L'air avait un parfum de poussière et de pluie, mais, derrière le rideau que le vent soulevait, la lumière restait aveuglante sur les faïences. Au-delà de la grille de ce jardin suspendu, le village semblait accroché à un roc; du linge séchait aux balcons; des mulets remontaient vers la petite place en éraflant les murs avec leurs couffins... Il la sentait se calmer. Elle allumait une cigarette, et quand elle avançait son bras vers le cendrier posé sur l'angle du piano, il voyait le lourd bracelet glisser jusqu'au poignet et emprisonner la main dans une grappe d'or et de pendeloques. L'heure profonde s'ouvrait devant eux. Il eût voulu la retenir. Comment Niki eût-elle pu être différente?

Oui, pas mal d'hommes avaient traversé sa vie (plutôt leurs existences à tous les deux), sans qu'il ait jamais pu penser que Niki appartenait à aucun sauf à lui. Or voici que ces maternités venaient endeuiller cette certitude. Niki n'avait jamais cessé d'être du parti de Gast. Ce que ce dernier désirait, il y avait toujours un moment où elle se le laissait imposer. Ce matin-là, en apprenant qu'elle allait avoir un autre enfant, il l'avait compris. Non qu'il se sentît supplanté ou définitivement écarté, mais cette fois elle appartenait à quelqu'un dont elle avait négligé de lui parler, à quelqu'un qui avait le droit et la possibilité de la soumettre, de provoquer en elle ce répugnant mécanisme de la fertilité. Géro abandonnant *Trinity College* et sa classe d'orgue n'avait pas reparu à Dublin pendant une semaine, parcourant à pied le *Wicklow*, trempé jusqu'aux os, couchant dans des fermes, dans des maisons abandonnées. Ce vagabondage n'avait pas suffi à le libérer. Il restait comme envoûté par une image qu'il n'arrivait pas à chasser : celle de quelque statuette magique pétrie dans la glaise, remontée de la nuit des temps, représentant une femme parturiente. Ces deux grossesses successives le saisissaient d'une réalité qu'il avait toujours écartée. Et, comme à l'âge qu'il avait, un pareil bouleversement ne peut entraîner que des résolutions spectaculaires, il s'était engagé et était resté plus d'un an sans donner aucune nouvelle de lui. La chose avait néanmoins fini par se savoir à Nashville. Comme les lettres de Niki restaient de sa part sans réponse, Gast avait décidé de lui écrire, et c'était bien la première fois. Gast le félicitait de sa décision, lui rappelant que le grand-père de Niki était mort glorieusement à Richmond, que deux autres membres du clan se trouvaient à ce moment sous les drapeaux quelque part dans le Pacifique. Géro s'était demandé si par là Gast ne l'engageait pas sur les voies d'un sacrifice qui eût effacé la faute de sa mère, et si sa citation, s'il venait à être tué, n'irait pas rejoindre d'autres souvenirs de la guerre avec le Sud conservés religieusement dans une vitrine.

Géro n'avait pas eu à courir cette chance : la guerre était déjà terminée. Il correspondait de nouveau avec sa mère, mais pour bien marquer son autonomie il lui écrivait désormais en français, langue qu'elle n'avait jamais réussi à parler correctement. La Schola, les langues O, l'institut d'Art et le reste représentaient pour lui un dérivatif suffisant. Rentrer en Amérique, respirer à nouveau l'odeur douceâtre du *popcorn* en prenant son breakfast le matin dans ce *basement* impeccable éclairé par de longues ouvertures pratiquées à hauteur du plafond, la question ne se posait pas. « Tu as de la chance d'être à Paris... » Il la comprenait à demi-mots, bien qu'entre sa mère et lui le code des signaux eût changé. Cela pouvait signifier : « Reste où tu es, ne reviens pas te fourrer dans leurs pattes... Je les connais : tu n'as rien à gagner, tout à perdre... Ta liberté, Géro, ta liberté! » Et qu'avait-elle fait de la sienne? Si quelque chose restait en elle de ce qui avait correspondu autrefois à ses ambitions créatrices, un peu trop ouvertement elle les reportait sur lui-même. Pourquoi se fût-il prêté à cette substitution? Pourquoi lui eût-il donné cette satisfaction d'avoir mis au monde quelqu'un qui ferait parler de lui? On eût dit qu'elle lui demandait de justifier le temps qu'elle avait perdu quand elle courait d'un continent à l'autre. Soit, il était à Paris; mais elle y avait vécu, elle aussi : qu'avait-elle tiré de cette chance-là, si c'en était une? Il ne lui permettrait pas de rejouer sa propre destinée à travers lui. Sa réponse serait également le temps perdu, les choix déterminants indéfiniment reportés, le gaspillage, les faux départs. Il lui montrerait comme on peut tourner bride à quelques foulées du poteau d'arrivée, refuser d'empocher la prime, laisser tomber. Ce refus de se prendre au sérieux serait sa réponse à Niki!

Sa réussite auprès des gens qu'il pouvait alors côtoyer? En fait, guère différente de celle que Niki avait connue, parfois! Question de physique, uniquement. La nature crée de ces animaux bien sélectionnés au départ; mais en dehors du plaisir qu'ils se donnent, et surtout qu'ils donnent aux autres, il est rare que ces beaux spécimens brillent d'un éclat durable et livrent à la postérité plus que le nom d'une paire de gants ou d'un parfum. Quelquefois moins.

Quant à se voir de nouveau à Nashville... L'idée que sa mère, à quarante ans passés, avait fait coup sur coup deux marmots et qu'elle marchait maintenant sous le même joug que les autres femelles du clan, toujours gravides, cette idée suffisait à chasser toute mélancolie, creusant le fossé. Il la retrouverait — peut-être — mais beaucoup plus tard, quand il ne courrait plus le risque, en s'approchant de la maison, de la voir pousser un landau, ou encore, image plus insoutenable, venir vers lui le ventre en avant, à nouveau pleine. Qui pouvait-on aimer en ce monde? Difficilement sa mère, pensait Géro.

La façade se dressait sur un petit tertre, sans dépasser toutefois la cime des arbres — merveilleux arbres; pourquoi sont-ils ici plus grands qu'en Europe? — aussi nette, aussi blanche que si la maison eût été conservée sous globe. Seuls les paons avaient disparu, animaux dispendieux, symboles lascifs, d'apparat désuet. L'image était restée la même, mais Géro ne tenait pas à la voir s'animer. Son intention était seulement de faire le tour du bâtiment et de repartir aussitôt.

Ce qu'on trouvait, une fois franchi le péristyle, il ne l'avait pas non plus oublié. Les chambres du haut, sévères en somme, de part et d'autre d'un immense couloir qui ne prenait jour qu'aux extrémités par deux ouvertures ovales qui, pratiquées dans les frontons latéraux, inscrivaient chacune dans ce triangle l'œil de Jehovah. Et dans ces chambres une surabondance de lits, métal ou fonte, ou d'acajou à colonnes, dressant un dais léger de tissu froncé. La lumière y était la même que dans les arbres. Il se souvenait d'avoir occupé l'une d'elles, exposée à l'est. Chaque fois qu'il revenait, il la retrouvait. Peut-être n'avait-il jamais eu d'autre chambre à lui que celle-là.

Les pièces du bas étaient plus chargées, portières et bronzes, potiches, décoration mettant en cause l'enluminure orientale, la flore lacustre, mélange de Chippendale et de nouillerie *Modern Style*. Géro ne tenait pas à retraverser ces grandes salles en enfilade, à revoir l'atrium, les lourds chandeliers d'argent sur les dessertes, l'étonnant buffet gothique où le gros harmonium restait enfermé. Il ne tenait pas non plus à se faufiler à nouveau dans la bibliothèque où il n'avait jamais vu personne disposer l'échelle devant les rayonnages pour y chercher un livre, mais où les quatre hommes se réunissaient pour fumer leurs gros cigares au fond des sophas de cuir sombre, tandis qu'au centre de l'immense tapis à feuillages d'acanthes sur fond noir, seule femme admise là, Niki lovée sur l'ottomane, la tête levée vers l'énorme buisson de cristal, semblait guetter au plafond une migration de canards sauvages.

Difficilement Géro, en refaisant le tour de cette maison, eût pu dire si ce qu'il revoyait représentait pour lui un mauvais rêve ou bien une sorte de paradis dont il n'avait jamais réussi qu'à fouler le seuil. Une seule chose eût pu lui donner l'envie d'y pénétrer et de revoir son image déformée dans le miroir convexe surmonté d'un aigle doré qui accueillait les visiteurs, c'eût été de savoir que Speranza était encore dans ces murs.

« Cette pauvre créature! » ... Les belles-sœurs de Gast affectaient de l'ignorer. Géro avait peut-être été le premier à prendre conscience qu'elle existait. Sans elle rien n'eût tourné rond dans cette maison où chacun entendait prendre des initiatives mais où Gast n'accordait à personne la possibilité de les réaliser. Au moins avait-elle l'entière confiance de ce dernier et à ses yeux le mérite d'être à la fois efficace et pratiquement invisible. Chaque fois que Niki, à la suite de quelque algarade, disparaissait une semaine ou deux, ou bien partait en excursion avec ses frères, Speranza prenait Géro en charge, lui faisant frire son *bacon*, l'obligeant à passer sous la douche, et s'il lui arrivait de tomber de vélo ou de se couper, lui appliquant liniments et désinfectants.

Jamais elle n'avait profité de ces occasions pour essayer de lui faire dire quelle sorte d'existence sa mère et lui pouvaient mener quand ils se trouvaient tous deux loin de Nashville et du regard de Gast. Il ne se sentait pas plus gêné de se laisser savonner par elle, et plus tard de la voir entrer dans la salle de bain, que si elle l'eût élevé. Il avait l'impression de l'avoir toujours vue là. D'où venait-elle? Depuis combien de temps était-elle au service de la famille? Avait-elle elle-même une famille?... La nature ne l'avait guère favorisée. « Laide à faire peur! » entendait-il répéter. De très petite taille, et affectée d'une curieuse claudication, quand elle s'affairait ainsi on eût dit d'une poule qui pique du bec en marchant. Mais laide certainement pas. Géro ne l'avait jamais vue telle; ou peut-être, et pour la seule fois de sa vie, avait-il aimé en elle la laideur; parce que, dans cette famille où chacun était si remarquable par le physique, elle représentait une sorte d'exception marginale, une énigme naturelle qui ne pouvait manquer de l'intriguer. De toute façon, noiraude, la jambe torte, cette griotte eût pu mener un bataillon de nègres et les obliger à travailler. Et de fait, dans cette maison où il y avait toujours une douzaine de personnes à demeure, c'était elle qui avait tout en main, au point qu'on aurait pu croire que tout se faisait tout seul, que chaque domestique était une sorte d'automate qui ne se détraquait jamais, ne tombait jamais en panne, ne commettait jamais d'erreur, apparaissait toujours à point nommé.

Et puis, alors que dans ces murs tant de choses lui semblaient étrangères, voire hostiles, elle était pour lui une présence sécurisante. S'il se sentait saisi d'une brusque fringale, il était toujours sûr, grâce à elle, de trouver quelque chose à se mettre sous la dent.

Mais il y avait longtemps que Speranza était morte, et sans doute était-il le seul à se souvenir d'elle d'une façon aussi précise. Il se revoyait assis en face d'elle un jour où il s'était fait piquer par un serpent dans le massif de rhododendrons où il était allé rechercher une flèche, osant à peine bouger pour empêcher le venin « de remonter jusqu'au cœur ». Et si le serpent était une couleuvre on s'en tirait;

mais s'il s'agissait d'une vipère ou d'une vermine du même genre, on n'avait aucune chance d'en réchapper. Tout ça très net dans sa tête. Il s'attendait à lui voir scarifier sa piqûre ou lui brûler celle-ci avec un fer rouge, elle s'était contentée de lui masser le talon. Et quelque honte qu'il en eût, il n'avait pu s'empêcher de lui demander si l'on pouvait mourir de ça. « Sans doute, Monsieur Géro, sans doute... mais vous seriez déjà mort! »

Speranza, c'était plus qu'un nom magique : elle repoussait les forces du mal. Peut-être détenait-elle un secret? Mais c'était aussi une voix. Un matin, il s'était arrêté de jouer de l'harmonium pour écouter l'écho de cette voix vibrer sous les arbres. Maintenant encore les paroles qu'il avait entendues alors lui semblaient mystérieuses : « Nativité, où es-tu?... Nativité a disparu... Voyons, ne me fais pas attendre... Si tu es par ici, réponds-moi, Nativité! » Il était demeuré perplexe. A qui s'adressait cet appel? Personne à sa connaissance n'avait jamais porté un tel nom.

Géro ne pousserait pas plus loin sa reconnaissance; il ne se rendrait pas non plus au cimetière. Il lui suffisait de penser que cette tombe était là quelque part, à moins d'un mile, sous une pelouse, au milieu des arbres, les mêmes que ceux dont il voyait les feuilles remuer. Soudain, alors qu'il redescendait l'allée, il avait entendu courir derrière lui. « Missié demande qui vous êtes? » La femme fixait sur lui des yeux énormes légèrement injectés. « Est-ce que vous ne seriez pas déjà venu?... comme qui dirait, quelqu'un de la famille? »

La marque, l'empreinte étaient-elles si nettes? La femme l'avait-elle reconnu d'après une photographie restée dans la chambre de Niki? Mais cela était impossible. Si quelqu'un l'avait reconnu, ce ne pouvait être que Gast. Géro était certain que celui-ci l'avait tout de suite aperçu de sa fenêtre, suivi pendant qu'il faisait le tour de la maison.

— Je vous en prie, Missié, ne partez pas... je vais prévenir, dire que vous êtes encore là... Missié serait trop fâché... Ne partez pas.

Une créature angélique dans sa peau noire, tout à fait comme Speranza montée sur sa patte folle!... C'était bien ce qu'il avait pensé : Gast désirait le voir. Peut-être celui-ci ne l'avait-il pas *physiquement* reconnu, mais avait-il été averti par le même genre d'intuition qui, la nuit ou quand il avait le dos tourné, l'avertissait immédiatement de la présence de Niki.

Adossé à un tronc, Géro regardait la femme courir essoufflée vers la maison en battant l'air de ses gros bras. Ainsi il allait revoir Gast, l'homme qui l'avait séparé de sa mère, celui aussi qui les avait fait vivre tous deux pendant tant d'années. Lequel en vérité? L'homme qui avait été, d'une certaine façon, un des fléaux de sa jeunesse, ou bien l'homme qui leur avait permis de mener cette extravagante existence et qui, pour finir, avait peut-être sauvé Niki du désordre?

Une minute plus tard, une fenêtre s'ouvrait au premier et la femme lui faisait de grands signes. On n'avait pas besoin de lui montrer le chemin; il connaissait les lieux.

Cela aurait pu être un début. Le début d'une réconciliation. L'avènement d'une volonté tendant à récrire le passé, à le recomposer de fond en comble avec nouvelle répartition des rôles faisant de Gast non pas l'oncle de Géro, non pas son père, mais, très loin des liens du sang, une sorte de tuteur soudain réapparu — ce que d'une certaine façon il avait longtemps été pour lui.

Le plus étonnant c'est que, sans que l'offre lui en ait été faite, Géro l'ait acceptée néanmoins comme si elle découlait des circonstances mêmes, et sans lui fixer aucun terme. Comme une pierre tombée du ciel, il s'était aussitôt enfoncé dans ce limon. Il retrouvait sa chambre, son lit, et toute chose à sa place dans le reste de la maison. Mais c'était là sans doute une apparence : plus rien ne lui semblait à la mesure de ce cadre resté intact. Pour Géro, il ne s'agissait là que d'une halte, mais la plus étonnante depuis qu'il avait retrouvé l'Amérique.

... Je revoyais Gast, en tout point le même homme, moins amoché en somme que je ne me l'étais imaginé d'après la description du gars du motel, et même tout à fait remis après son attaque. Ces vieux durs à cuire, on ne sait jamais comment ils arrivent à se remettre debout. Je m'attendais à le trouver calé dans un fauteuil, écroulé sur son lit au milieu de soldats de plomb, au mieux naviguant sur des cannes, traînant sa moitié de cadavre sans savoir quoi faire de celle-ci; mais non, tout paraissait bien fonctionner; muscles et tissus, tout paraissait bien irrigué. Pas de moumoute, pas de dentier. Lavé et rasé de frais. C'est tout juste s'il ne m'a pas envoyé son poing dans l'estomac pour voir si je tenais encore debout. Il devait jubiler. Il voyait bien que je n'en revenais pas de le revoir dans cette forme, capable d'en remontrer à tous ces fragiles aurochs, à tous ces jeunes bisons épuisés sous le poids de leurs crinières dont il devait ignorer jusqu'à l'existence. Enfin, increvable!... Quand l'Amérique ne tue pas ses vieillards avant qu'ils aient atteint la quarantaine, elle les embaume pour l'éternité!... Et tout de suite des ordres, le théâtre habituel. Ne me laissant pas reprendre mon souffle. Me demandant, en guise de préambule, si j'avais faim et si je ne casserais pas un morceau avec lui. Va pour le *lunch !* En attendant, nous nous sommes retrouvés devant deux grands *whiskies*. Vivant seul dans cette énorme maison avec tout juste un couple de domestiques, le passé ne semblait pas peser sur lui : il résistait à la pression de toutes ces ombres que je ne parvenais pas à écarter. Flanquer à la porte toutes ses belles-sœurs et leurs descendants l'avait remis en selle fichtrement. Sa main ne tremblait pas en portant le verre à ses lèvres. Et à table, toujours le même appétit. Il s'en faisait une gloire désormais. Nous sommes passés ensuite dans la bibliothèque, et sans me donner le temps de promener mes regards sur les rayons, il s'est versé et m'a tendu un verre de cognac. Puis il a tiré de la poche de son blouson de daim une vieille pipe bien culottée, et j'ai reçu au visage sa première bouffée. Nous nous retrouvions là, dans ces divans de cuir, comme deux membres honoraires du club le plus fermé, et probablement le plus xénophobe de toute la région. Gast ne me posait pas de questions : son monologue les repoussait. Ce que j'avais pu faire de ma vie pendant tout ce temps que j'avais passé à courir ici et là, ce que je prétendais faire maintenant que j'étais rentré, visiblement il s'en foutait. Que je ne roulasse pas sur l'or, cela avait tout de suite dû lui sauter aux yeux. Mais que je ne fusse pas revenu là dans le but de le taper, ça aussi il le savait. Désintéressé! Si Niki, elle aussi, prétendait l'être, du moins avait-elle de furieux besoins d'argent, ce qui l'obligeait à donner des gages. Niki était du clan. Moi pas. Niki avait eu beau chanter partout que j'étais le garçon le plus doué, que je réussirais dans tout ce que j'entreprendrais, il ne l'avait jamais cru. Pour lui, j'étais autre, définitivement étranger; un garçon n'ayant nulle part ses racines. Même à ce moment je ne devais pas avoir beaucoup plus d'intérêt, d'épaisseur, à ses yeux, qu'une feuille de chêne ou d'érable retrouvée entre les pages d'un livre qu'il eût ouvert par hasard. En revanche ce qui lui importait infiniment c'était de me persuader qu'il était toujours dans le coup, qu'il continuait à se faire balader en voiture, qu'il restait quelqu'un qui comptait parmi les notables, que ses amis continuaient de lui rendre visite.

La meilleure façon de tenir bon n'était-elle pas de s'ancrer fortement dans le présent, au lieu de se laisser entamer par les regrets?... L'affaire vendue (« plus rentable, mon garçon, ce genre d'entreprise locale... de la philanthropie que de vouloir les maintenir... ») il avait su placer son fric. Le marché des valeurs, il prétendait le connaître comme le fond de sa poche... Est-ce que je comprenais? Est-ce que j'arrivais à suivre son raisonnement?... Je comprenais parfaitement : le clan n'était plus qu'une légende et Gast, avec tous ses millions, un homme seul.

Cette solitude, Géro aurait pu y voir une juste punition. Après tout, c'était l'affaire de Gast d'avoir l'air de croire à tout ce qu'il racontait et de vouloir le persuader qu'il ne s'était jamais mieux porté, qu'il n'avait jamais été plus heureux. Il y avait tout de même quelque chose de pitoyable dans son obstination. En se livrant à tous ces excès, Gast allait probablement à l'encontre des recommandations des médecins. Manifestement, ce curieux soliloque correspondait moins de sa part au désir de prouver quelque chose qu'à la crainte de voir surgir entre eux certains sujets, certains visages. Parfois il s'arrêtait au milieu d'une phrase et disparaissait un moment pour aller, disait-il, se dégourdir les jambes; plutôt pour s'étendre, ou absorber un médicament. Quand Gast ne se croyait pas observé, l'effort qu'il faisait pour coordonner ses gestes et ses mouvements semblait éveiller en lui une anxiété, comme s'il se penchait sur quelque partition soudain difficile à déchiffrer.

Gast plusieurs fois par jour s'obligeait à des promenades, mais sans jamais s'éloigner beaucoup de la maison. Géro le regardait se déplacer sous les arbres, contourner les massifs, piquer du bout de sa canne une motte de terreau, haute silhouette un peu étriquée dans des vêtements devenus trop étroits, ce qui donnait à sa démarche quelque chose d'hésitant, presque de timide, comme si toutes ces couleurs exubérantes, ces grandes ombres tachetées de soleil l'eussent maintenu à distance.

Si Géro restait, c'était en partie parce qu'il était persuadé que Gast finirait par lui parler de Niki. Sans doute eût-il pu l'y aider en lui demandant ce qu'avaient été les derniers moments de celle-ci. Puisqu'il était là dans la maison, il avait le droit de ne pas s'en tenir aux explications embrouillées qu'on lui avait données à l'époque et à celles qu'il pouvait avoir recueillies depuis qu'il se trouvait sur les lieux. Mais il fallait que la chose vînt de Gast lui-même et que celui-ci cessât de jouer cette comédie. Peut-être n'attendait-il qu'une occasion. Peut-être, en laissant parfois le silence s'installer entre eux, guettait-il le moment favorable. Mais c'était à lui de parler le premier. S'il y avait un secret dans sa vie, Géro n'était pas là pour l'en délivrer.

Entre eux cette présence restait obsédante. Séparée de son second mari, brouillée avec les fils qu'elle avait eus de ce dernier, elle était donc revenue à Nashville, et qu'elle y fût maintenant enterrée était bien le terme d'une si longue et si incohérente pérégrination. Malgré cette passion vaine qui toujours l'entraînait ailleurs, jamais le lien n'avait pu se dénouer. Rien dans sa vie n'avait eu un tel caractère de nécessité. Peut-être n'avait-elle eu d'autre attache que ce sentiment tumultueux qui ne l'éloignait de Gast que pour la ramener, de plus loin, vers lui. Et lui Gast, quelle avait été sa vie? Géro ne l'avait jamais su. Il ne s'était pas marié. Mais l'eût-elle admis? Ils avaient vécu uniquement occupés l'un de l'autre, probablement sans jamais en prendre vraiment conscience. Quoi donc eût pu la lui disputer? Aucun homme. Ni les enfants. Ni cet effort désespéré pour fixer sur des toiles une réalité qui lui avait toujours échappé. Tout s'usait en elle, sauf cette obligation de revenir vers lui sans pouvoir se réconcilier avec elle-même. Cela venait de trop loin : de leur jeunesse, ici-même, dans ce pays, dans cette maison. D'un long passé masqué par les mythologies du clan. Peut-être d'un geste, d'un rire, d'un étonnement soudain, autrefois partagé, provoquant en eux une sorte de déchirure, un mouvement qui les avait jetés l'un vers l'autre et définitivement enfermés dans un présent qui ne pourrait jamais les séparer. Un unique amour, une flamme occultée, maintenue par tant de querelles, d'abandons. Ce qu'il y avait eu au bout d'une si longue attente, seul Gast aurait pu le dire. Mais il était possible de l'imaginer. Une dernière fois, Gast et Niki s'étaient retrouvés seuls au bout de cette route sinueuse. C'était l'été, la maison restait vide... Il y avait huit ans de cela.

Gast rentrait de sa promenade et venait rejoindre Géro dans la bibliothèque. Les mêmes objets, toujours aux mêmes places. La même lumière un peu glauque glissant le long des tentures. Et, à cause des hautes fenêtres, cette impression étrange d'être dans les arbres.

Niki allait-elle apparaître à son tour, drapée dans ce léger tissu scintillant, entraînant comme un nuage bleuté traversé de rayons, et reprendre sa place sur l'ottomane?

Le ventilateur qui entretenait autrefois une vibration pendant les heures torrides, couvrant les ronflements et le bruit des glaçons au fond des verres, avait été remplacé par un appareil d'air conditionné. Aucun essaim ne traversait plus cet espace, et si l'énorme balancier continuait à battre les mêmes secondes, les heures, elles, n'étaient plus les mêmes. Profitant d'un silence de Gast, Géro laissait son regard errer autour de lui. Sur une étagère, devant les livres, il reconnaissait les initiales de Rufus, de Thomas et d'Alan sur les *punchbowls* en argent qui leur avaient été offerts lorsque chacun d'eux avait eu ses dix-huit ans. Mais aucun des trois n'était plus là pour lever et vider ces coupes. Alan avait été tué dans un accident d'avion-taxi à Memphis alors qu'il se rendait à la Nouvelle-Orléans, tandis que les deux autres avaient disparu pendant la guerre aux Philippines. Le décor restait strictement identique dans les moindres détails, mais rien de ce qui avait existé autrefois n'était plus récupérable. Si l'harmonium était toujours encastré dans sa boiserie gothique une bonne partie des touches avaient fini par sauter sous trop de doigts d'enfants traitant le noble instrument comme un vulgaire appareil à sous. Depuis combien d'années Géro n'avait-il plus posé ses doigts sur un clavier? Combien d'heures heureuses il devait pourtant à ce compagnon! C'était là qu'un matin, entre deux accords d'un choral, était arrivé jusqu'à lui ce nom mystérieux : Nativité. Si pour sa mère Nashville c'était Gast, toujours Gast, pour lui, Nashville c'était cet harmonium. Quand il était au loin, il ne cessait d'y penser et de le regretter, un peu comme un gros chien fidèle qu'il eût dû abandonner dans sa niche. Et parce que Gast l'avait sous son toit, Gast échapperait un jour aux flammes de l'enfer. Quand, à des milliers de kilomètres de là, il lui arrivait d'évoquer l'image de son oncle, c'était souvent sous les traits d'une sorte de capitaine Némo rêvant au fond des mers devant l'orgue du *Nautilus*.

Mais si Niki ne venait pas s'asseoir à cette place où leurs regards ne pouvaient s'empêcher de la chercher, allait-elle sous leurs yeux traverser la pelouse, un carton à dessin sous le bras, et se diriger vers l'ancienne écurie où Gast avait fait aménager pour elle un atelier?

Au moins aurait-il appris pendant son séjour ce qu'il était advenu de celui-ci et de ce qu'il contenait. Le bâtiment avait été rasé à la suite d'un incendie, et toutes les toiles, tous les dessins, esquisses, croquis, modelages que Niki avait emmagasinés là depuis des années, s'en étaient allés en fumée.

Géro ne pouvait se détourner de cet endroit; quelque chose l'y ramenait. L'emplacement n'avait pas été replanté, ni semé. Peut-être n'y aurait-il rien poussé à cause de cette poussière stérile, de ces minuscules parcelles de gravats et de briques, de ces clous tordus restés après le déblaiement. La terre aussi avait brûlé avec les images, avec tous ces moments du passé, et rien ne rendrait témoignage du passage de Niki en ce monde. Pour effacer le tracé de ces murs et le souvenir de ce brasier, pour raccorder le gazon pardessus ce carré maudit, il eût fallu amener là de la terre nouvelle. Cela eût été facile. On avait dû donner ce conseil à Gast, mais s'il n'avait rien ordonné à cet effet, s'il avait voulu conserver là cette cicatrice bien visible, n'était-ce pas pour se punir d'avoir survécu à Niki et pour perpétuer cet enclos stérile au centre de ce lac vert?

Géro demeurait perplexe : le récit qu'on lui faisait éveillait plutôt ses soupçons. Pourquoi la foudre était-elle tombée précisément à cet endroit? Et pourquoi la chose s'était-elle produite si peu de temps avant la mort de Niki, alors qu'on ne la prolongeait plus que par des transfusions?

Sur tout cela le vieux ne dirait pas non plus ce qu'il savait. Mais Géro n'avait pas besoin de lui pour comprendre : il se souvenait d'une scène presque semblable... cela s'était passé à Capri... précisait-il.

... Une fois par semaine elle se rendait à Naples chez son psychiatre. Avec ça, je ne sais trop pourquoi, l'argent qu'elle attendait n'arrivait pas. Parfois sa main tremblait tellement qu'elle ne pouvait tenir ses pinceaux. Je ne l'ai jamais vue dans un pareil état. Que faire pour elle? Comme toujours, attendre qu'elle reprenne le dessus. Nous n'étions pas très bien ensemble à ce moment : je trouvais qu'elle exagérait, et qu'elle avait tort de se rendre si malheureuse pour la peinture. Moi j'avais une barque, je pêchais avec les pêcheurs, j'allais m'asseoir à *Marina piccola* pour regarder les touristes arriver... C'était ennuyeux vraiment qu'elle se soit mise à détester le pays. J'avais une frousse intense qu'elle ne décide tout à coup que nous repartions... Un soir, en revenant à la villa, j'ai vu la fenêtre de l'atelier illuminée; une odeur de brûlé m'a saisi à la gorge. Je me suis précipité : tout flambait. Elle avait allumé sous son chevalet un tas de chiffons imbibés d'essence. J'ai réussi à éteindre. Elle n'a rien fait pour m'en empêcher. De tout son travail d'une année il ne restait rien : elle avait retrouvé son calme...

Mais Gast n'avait pas été aussi prompt, à moins qu'elle n'eût réussi à le convaincre que cette purification par le feu était nécessaire. La vie ne semblait tolérable à Niki que lorsque rien ne pesait sur elle, or en fait tout lui pesait. Toute son œuvre accumulée entre ces murs, quel boulet à traîner! Avec quelle joie elle s'était vengée de toute la souffrance que ces toiles avaient représentée pour elle! Cela s'était passé la nuit. A l'arrivée des pompiers le bâtiment était déjà embrasé. Elle n'était même pas descendue. Elle était restée derrière sa fenêtre à regarder le temps brûler.

« *Ces mondes enfouis où nous allons à la rencontre de nous-mêmes...* »

C'est bien là le début, ton début, la phrase première du livre. « *Mondes enfouis* »... « *recherche de nous-mêmes* » : l'homme qui a contemplé les abîmes du temps, mais qui se souvient de ses gouffres. Tout le reste vient à la suite, emporté par ce mouvement.

Description d'un Empire Terrestre. Le titre suffirait presque à arracher l'ouvrage à l'oubli. Comme il te situait loin de ces habiles grammairiens se refilant leurs recettes ou se chipant astucieusement sous le nez leurs modules lunaires, loin de tous ces petits trafiquants qui, en lisière des salacités permises, prouvent seulement la vanité de leurs efforts pour érotiser la planète!

« Ces mondes enfouis... » J'imagine sans peine le choc qu'un homme peut éprouver en voyant son sang jaillir de la veine d'un autre, en entendant sa voix résonner dans une bouche qui n'est pas la sienne. Il y a des doutes possibles, mais pas celui-là. Tu étais prêt à abandonner beaucoup de choses, mais certainement pas cette certitude. Chaque fois que je rouvre le livre — je pourrais t'en réciter des pages et des pages, malheureusement tu n'es plus là pour les entendre — moi aussi je reçois ce choc. Tu as dû avoir l'impression que le sol s'enfonçait sous toi. « Stupéfait! » dis-tu. On le serait à moins.

Il y a dans le passé historique des attributions douteuses,

des œuvres qu'on donne tantôt à un auteur, tantôt à un autre (qui ne sont tous deux guère plus que des noms), mais un grand nombre de siècles, plusieurs millénaires, l'ambiguïté du colophon et de la souscription finale, un raturage intentionnel qui décapite le *fecit*, peuvent expliquer cette variation. Et il en va de même de tant de créations admirables dont nous ne savons guère qui les a produites : quel est l'original et quelles sont les reproductions? si l'œuvre est née d'un seul ou de plusieurs, ou n'est en fait qu'une compilation qui a fini par englober les scolies, les rajouts, les répétitions?.. Mais c'est là action nécessaire du temps qui finit par faire qu'un auteur n'est plus pour nous qu'une civilisation, un moment de l'histoire, le point culminant d'un empire ou sa chute, un des rayons d'un siècle d'or. Tout se passe comme si les œuvres qui seules ont le droit de durer, ne le pouvaient qu'en rejoignant ce legs commun, cette commune vérité, cette commune illumination des premiers mythes, comme si la parole, le geste de l'artiste revenaient à ces dieux qui les ont inspirés après avoir appris aux hommes la vigne ou l'olivier, la charrue et les mois. Tout se passe comme si l'écrivain, le créateur, ne pouvaient parapher le texte que pour un temps très court, alors que l'objet créé semble vouloir rejeter cette marque spécifique, individuelle, qui reste sur lui comme le reflet fragile de son origine, une sorte de défaut de nature qui l'empêche d'être l'expression de la nuit étoilée, le reflet des grandes forces cosmiques, des grands soulèvements absolus de la matière et de l'esprit.

Mais j'extrapole, je devance ta singulière évolution. Sur le moment tu ne pouvais que réagir comme tant d'autres eussent réagi à ta place. A croire que ce fût toi qu'on avait descendu dans cette tombe au bord de l'Euphrate et qu'Atarasso vécût désormais à ta place. Ils t'avaient privé de ton souffle : tu respirais dans la poitrine d'un autre. Et cet autre, bien que disparu, venait de commencer une nouvelle carrière dans le monde, recevant partout des hommages que personne n'eût songé à te décerner (que tu n'eusses fait d'ailleurs que repousser), mais lui salué comme un maître, un libérateur, un miraculeux rescapé. Ah! tu en tremblais, n'arrivant pas à dompter ton agitation, et en vérité il y avait de quoi! Tu t'es jeté sur la prière d'insérer; tu as avalé d'un trait tous les extraits de presse reproduits sur les pages intérieures de la couverture, lesquels indiquaient quel accueil unanime, extasié, hyperbolique, avait reçu le livre dès sa sortie, à Milan, à Londres, à Paris. L'Europe peut se montrer généreuse avec ses morts. Cette gloire posthume emportait tous les suffrages. Mais toi, avais-tu vécu si coupé du reste du monde depuis que tu vivais enfoui à New York, sans lire un seul journal, sans jamais sortir de Greenwich Village, redevenu une sorte d'artisan, pris entre ton établi et la fantasmagorie psychédélique!... A son tour l'Amérique n'avait plus qu'à se mettre de la partie et à entrer en transe. Tu voyais se gonfler comme un océan d'éloges enthousiastes, et chaque fois que tu recevais un de ces énormes paquets de mer tu avais l'impression que ceux-ci te chassaient de la digue. En quelques secondes tout s'est éclairé. Tu as revu en détail toute ton aventure — l'accident, le hasard qui t'avait introduit presque de force dans la demeure de cet homme, tes nuits avec Sandra... — aventure que bien d'autres événements, bien d'autres rencontres, au cours de ces quatre années, avaient probablement contribué à effacer. Tout te revenait, mais sous un jour différent, dans la clarté livide et le grondement d'un éclair. La plus inconcevable machination! La plus sauvage spoliation! Tout s'était fait à ton insu. Et d'autant plus facilement que tu n'avais accordé aucune attention particulière à ces paroles envolées de toi — à part le plaisir que tu avais retiré de cet exercice — lesquelles paroles ne te semblaient pas plus dignes de durer, plus remarquables en elles-mêmes que d'autres tentatives plus lointaines restées sans écho. Cet échec-là, tu l'avais enfoui comme beaucoup d'autres choses qui n'étaient pas destinées à voir le jour ni à porter des fruits. Il te suffisait de vivre et de t'ajuster aux circonstances, avec pour seul projet de te vouloir intermittent et transitoire. Au moins ce choix t'appartenait-il et nul n'avait le droit de t'en déposséder en te forçant à *exister* différemment, surtout en t'infligeant la preuve que quelque chose en toi eût pu être éternel, la preuve qu'à un certain moment tu t'étais trouvé, reconnu, et que ce gaspillage de tes dons, loin d'impliquer une perte définitive, n'était que la surface de l'instant.

Ah! je donnerais cher pour avoir été là, dans cette librairie de Rockefeller Center, au moment où tu as reçu cette incroyable et paradoxale révélation. Je donnerais cher pour avoir pu ensuite te suivre dans cette foule, tandis que tu redescendais la Ve Avenue, bousculé par les manifestants venant en sens inverse, t'arrêtant à chaque bloc, non pas pour te jucher sur une borne et commenter à haute voix un passage de la Bible ou du Coran, un verset des Upanishads ou de la Bhagavad-gîta (celui que tu commentes si bien dans ton livre : « Ces hommes dont l'esprit se réfugie en moi, je les arrache à l'océan de la transmigration et de la mort ») mais pour opérer une nouvelle plongée dans ton œuvre, partagé entre les sentiments les plus opposés : la fureur d'avoir été manipulé avec un tel cynisme, le mécontentement d'avoir été mis en selle contre ta volonté, une sorte d'admiration aussi devant un coup aussi bien monté. Soudain tu débordais d'un rire inextinguible devant une si totale dérision — rire qui t'eût fait prendre pour un fou si à New York l'usage n'était pas d'ignorer les passants et de n'accorder aucune attention aux lunatiques.

Il te fallait faire le point. Une cabane en planches sur une île côtière battue par les vents — Sutton, Nantucket — c'est ce qu'il t'aurait fallu comme refuge pour pouvoir mesurer le préjudice exact et arrêter ton attitude. A la hauteur de la 42e Rue tu as dû te demander si tu ne ferais pas mieux de te diriger vers *Port Authority* et le *Bus Terminal* afin de monter dans un car sans te préoccuper de la direction. Peut-être n'avais-tu pas sur toi assez d'argent, et tu t'es engouffré dans le *subway*, sans cesser, pendant le trajet de tourner les pages du bouquin avec la même avidité.

Revenu à ton point de départ, tu as commencé par vider les deux filles, Betsy et Pénélope, qui refaisaient leurs nattes et venaient à peine de se réveiller. Tu voulais être seul. Tu as exigé que personne ne vienne te déranger, ce qui était bien la plus inactuelle des exigences étant donné les conditions dans lesquelles vous viviez tous. Tu devais ressembler à un oiseau que la tempête vient de plaquer sur le pont. Ta chambre ?... plutôt atelier, dortoir, salle de réunion, couloir d'exposition tapissé de *posters*, de voilages orientaux, de bariolages acriliques, d'énormes dessins ou photos : Magritte ou Lantrec, Quetzalcoatl ou le *Batman*, Mao et les Beattles... Tu n'étais pas responsable du décor. Jamais personne n'a essayé d'apporter moins de changements aux lieux où le hasard l'amenait à vivre. Personne n'était plus insensible que toi à ce genre d'agression visuelle, moins envoûté par cette musique dont te parvenaient nuit et jour les longues vibrations avec des odeurs de friture et de santal glissant sous la porte. Les deux filles ont dû penser que tu avais décidé de t'offrir un petit « *voyage* » dans la couleur, une promenade sidérale. En général tu laissais ça aux autres : leur grand toboggan dans la mer des sargasses. Il y avait trop longtemps que tu voyageais, tu avais traversé trop de champs de pavots, connu trop de villes et de bazars en Orient et en Asie pour avoir quelque chose de ce genre à découvrir et pour que leurs petites doses, le contenu de leurs sachets ne te fissent pas l'effet de produits achetés au rayon pharmacie d'un *drugstore*.

En fait il s'agissait pour toi d'une tout autre expédition.

Tu es resté là bouclé jusqu'au soir, peut-être jusqu'au matin suivant, sans sentir les heures passer, sans entendre d'autre voix que la tienne, mais comme dans un enregistrement défectueux ou trop ancien, et qui ne t'eût révélé qu'une distance implacable, comme le souvenir d'une autre vie que tu ne pouvais qu'en partie ressaisir. Parfois, fermant les yeux, tu achevais de toi-même la phrase, sans erreur, sans hésitation. Mais il t'arrivait aussi de fouler tout à coup une terre inconnue, et que ta surprise fût entière devant quelque chose que tu n'aurais pas imaginé pouvoir dire, et que pourtant tu avais exprimé, formulé. Toi si peu fidèle à tout ce qui pouvait traverser ton esprit, tu sentais alors sous tes doigts ces étranges concrétions où une part de toi-même restait enfermée. Tout... tout, ils avaient tout gardé : les phrases inachevées, les points de suspension à la place d'un mot que tu avais cherché en vain; comme si ce désordre, ces ruptures du rythme ou du sens, ces hésitations de la plume dessinaient une sorte de calligramme, une sorte de symbole cabalistique répondant au tumulte d'un esprit inspiré. Était-il possible que cet inachèvement fût salué partout comme s'il gardait à ces textes une fraîcheur, une sève vivace que cet équilibre idéal que tu avais si longtemps considéré comme le but à atteindre n'eût fait qu'appauvrir et étouffer?

... Mais le pire, dis-tu, le pire c'est ce qui s'est passé ensuite. Il n'était question que de lui. Atarasso! Atarasso! Impossible de faire trois pas dans la rue, d'entrer dans une *cafeteria*, dans un *Steack House*, sans retrouver son image sur un écran de télé, sa photo sur la première page d'un magazine. Impossible de passer devant la moindre devanture de librairie sans y apercevoir d'habiles montages le montrant dans les ruines de Suse, devant la falaise d'Abou Simbel ou devant le temple des dieux Palmyréniens à Doura-Europos. On trouvait le livre même chez les bouquinistes porno. Je nageais en pleine science-fiction, en plein cosmos, mais sur une orbite qui n'était pas la mienne. Les gens se trimbalaient dans le métro, en autobus, en taxi, déambulaient sur les trottoirs de Greenwich avec mon sacré bouquin à la main. Sur les bancs des squares, parmi ces jeunes *hippies* somnolant au pied des arbres ou se passant un bâtonnet d'encens sous le nez, il y en avait toujours un pour s'appuyer mes épiphanies et pour avoir l'air d'y prendre de l'intérêt. Je suis persuadé que les types du bain turc de Saint-Mark, au lieu de se reluquer et de bavarder d'un lit à l'autre, devaient passer leur temps de relaxation à s'enfourner mes variations sur le panthéon hittite ou sur la mort de Trajan. Dix fois par jour, des gens me demandaient si j'avais lu le fameux *best-seller* et ce que j'en pensais, m'enviant, disaient-ils, de pouvoir le lire dans le texte original et non pas dans la traduction. Au Village, la littérature sacrée bouddhique trouvait dans Atarasso un concurrent de taille. Comment pouvais-je afficher une telle indifférence envers une œuvre dont tout le monde parlait? « Quand tu auras commencé... tu ne le lâcheras plus ! » C'était lui qui ne me lâchait pas. Les filles autour de moi, Betsy, Pénélope et la frêle Vivéka, étaient les plus enragées; elles avaient abandonné le tantrisme et l'étude du Tao. Dans la boutique de *Bleecher Street*, derrière les colliers de verroterie pendus devant elles, elles restaient sagement assises devant leur éventaire, le livre ouvert sur leurs genoux. Elles n'avaient pas perdu espoir de me convaincre et, quand sur les deux ou trois heures du matin, je finissais par m'allonger sur mon matelas, je trouvais toujours un exemplaire glissé sous la couverture.

Étant donné les habitudes et les allées et venues dans notre caravansérail, pas moyen d'empêcher les gens de venir bavarder pendant que je travaillais, maniant la lime ou la lampe à souder, refermant les griffes de métal autour de petites pierres sans valeur, assis jambes croisées devant mon établi, comme n'importe quel artisan dans un souk. Aucun juda optique, aucun système de phonie pour écarter les indésirables ou les retenir à la porte. Tout le monde pouvait entrer. Et comme le sujet agitait les esprits plus qu'aucun autre à ce moment, j'étais continuellement assailli de questions par ces lecteurs; les uns désirant me montrer un point qui leur semblait obscur dans le texte (et qui l'était bel et bien), les autres tenant absolument à m'en réciter des passages.

Eh bien, je le dis, personne n'a jamais connu ça. Une pareille histoire de dupes. Une semblable profanation. N'être pour rien dans tout ce battage, et se sentir pourtant responsable!... Cela finissait par ne plus être supportable. Quitter le Village, aller chercher refuge ailleurs?... ailleurs ça risquait d'être pire. Avec la vitesse de propagation des idées fausses dans ce pays, la vague, *from coast to coast*, avait certainement déjà atteint les hauteurs de Frisco et le *Golden Gate*. A Monterey, à San Diego, elle m'eût certainement précédé.

Parfois la jeune Vivéka, flottant dans une simarre transparente qui aurait pu de sortir d'un dessin de Beardsley, alors qu'elle-même, avec son bandeau perlé sur le front, ses paupières pailletées, sa main posée sur la poitrine et comme tenant une fleur invisible, avait l'air de sortir de quelque féerie, venait me regarder travailler. « Qu'est-ce qui ne va pas, Géro? *What's happened?* » Elle s'inquiétait sincèrement.

Et de fait j'avais cru trouver là un coin de tout repos, j'avais cru couper les ponts avec cette Europe bavarde, raisonneuse, ne sachant que faire ni de sa jeunesse ni de ses vieillards, et voilà que cette absurde affaire allait me rejeter de ce côté, du côté de ces rites, de ces disputes privées de sens. De toutes parts, à toute heure, me revenait cet écho amplifié. J'en perdais le sommeil. Comment en terminer? C'était ma faute aussi : on ne se livre pas comme je l'avais fait aux circonstances; on ne se laisse pas mener de la sorte sans réagir. Oui, comment sortir de là? Ce n'était pas une question de droits, d'intérêts à revendiquer. Mais je ne pouvais me faire le complice d'une fabrication aussi éhontée. Il n'y a que trop de mensonges, trop de mythologies abusives et criminelles, trop de gens décidés à se laisser berner et à s'anéantir devant de nouvelles idoles ? Chaque jour je voyais ce mensonge s'étendre, proliférer, entraîner de nouveaux adeptes. Rester là sans piper, c'était servir celui-ci. Comment admettre que j'en avais été l'instrument, que je n'avais vécu que pour cela ?

Sandra avait-elle misé sur cette passivité ?... Mauvais cheval en course, mais brillant en piste ! En tout cas elle avait su reconnaître le doute qui te rongeait et l'exploiter. Puisque tu ne faisais rien de tes dons, puisque tu semblais résolu, en toute circonstance, à ne jamais occuper la place qui eût pu être la tienne, mieux valait que celle-ci ne restât pas vide et que tant d'énergies gaspillées au fil des années servissent à hausser la statue du colosse au sommet de cette pyramide qui, sous toi, n'avait jamais été que la pyramide de chaises en haut de laquelle le funambule se tient en équilibre. Au moins tu aurais vécu pour quelque chose. C'est un raisonnement simpliste, mais par certains côtés irréfutable. Sandra l'avait-elle en tête quand elle t'extirpait l'œuvre future d'Atarasso et te volait ton double pendant ton sommeil ?

Elle avait mené l'affaire avec intrépidité, sans se soucier des risques que comportait l'opération. Que tu décides de parler et de découvrir le pot aux roses, c'est là quelque chose qu'elle paraît n'avoir jamais envisagé. Tout lui commandait pourtant de ne pas exposer la mémoire de son père à un scandale qui ne pouvait que l'éclabousser. Exécutrice testamentaire, tout eût dû éveiller ses scrupules, la maintenir dans la stricte observance de son mandat, la faire renoncer à cette indécente dépossession.

Dans cette phase, on ne pouvait guère retenir que ce qu'avait d'odieux ce calcul, en même temps que de dérisoire. Comment aurais-tu pu admettre alors qu'une telle supercherie pût être définitive, que l'*honneur de l'esprit* fût compatible avec ce genre de substitution ? Et même si tu te taisais, comment croire que ce tour de passe-passe ne serait pas un jour ou l'autre révélé ? Il se trouverait bien dans l'avenir quelque scoliaste, plus attentif ou plus sagace, moins bousculé que tous ces critiques, pour signaler enfin l'erreur gigantesque, la falsification, l'impossibilité radicale. Il se trouverait bien quelqu'un pour démontrer qu'Atarasso ne pouvait être Atarasso!... Qui mettre alors à sa place? La discussion repartirait bon train. Mais c'était une vue optimiste et lointaine, et tu pensais que tu ne serais plus là pour regarder les combattants s'envoyer à la tête leurs arguments.

La « dévoreuse »... la « pilleuse »... ce sont presque les premiers mots qui sont tombés de tes lèvres dans cette chambre de Redgrave Hospital. J'ignorais tout alors de cette histoire et jusqu'au nom de Sandra. Celui d'Atarasso ne m'était connu que par quelques articles d'assyriologie et quelques publications de l'Institut oriental de Chicago qui m'étaient tombés sous les yeux. J'avais bien sûr entendu parler de ses deux ouvrages posthumes, mais ne les avais lus ni l'un ni l'autre. Atarasso restait pour moi le nom d'un savant, mais guère distinct dans sa spécialité de ceux de Ghirshman, d'Oppenheim ou de Lukonin — je ne m'étais jamais vraiment intéressé à ces questions — et rien ne m'avertissait qu'il prendrait une telle importance dans ma vie, ni que cette énigme m'ayant été par toi proposée survivrait à ta disparition ou plutôt commencerait à m'occuper entièrement lorsque j'en deviendrais l'unique dépositaire.

Si tout cela était resté entre vous deux, entre Sandra et toi, si les choses n'avaient pas pris ce tour agressif et publicitaire, tu n'aurais pas eu à intervenir et l'image de la *pilleuse* ne se serait pas imposée de nouveau dans ton esprit. Comment avait-elle osé aller jusque-là? Après tout tu étais toujours bien vivant : comment avait-elle pu croire que tu la laisserais tourner jusqu'au bout son grand *technicolor* sans te manifester un jour? Qu'elle eût voulu amener à Atarasso un public plus large, c'était la raison qu'elle avait avancée en te demandant de reprendre les textes en question et de les élaguer, en les corrigeant au besoin. Tu avais feint de trouver cette explication suffisante. Mais là, devant le bouquin publié, tu te demandais ce qui avait pu se passer dans la tête de cette fille. Très peu embarrassée de préjugés, c'est vrai, et pas une carmélite non plus! Seule la passion avait pu lui suggérer un pareil stratagème pour parvenir à ses fins : une passion dont tu avais à peine soupçonné le caractère aveugle et sauvage. Quel rôle avait été le sien auprès d'Atarasso? Il l'avait adoptée sur le tard; peut-être était-elle réellement sa fille. Mais l'adoption pouvait aussi n'avoir été qu'une façade, un arrangement commode, un moyen pour Andréas Italo de lui transmettre, avec son immense fortune, l'obligation morale de veiller à ce que ses volontés concernant ses collections et la fondation fussent exécutées après lui et sa mémoire défendue. Mais Sandra était allée bien au-delà de ce qu'il pouvait attendre d'elle. Il était évident maintenant qu'Atarasso n'avait jamais eu en main le fameux manuscrit, et que c'était pour subtiliser celui-ci et couper les ponts aussitôt après avec toi qu'elle avait monté et manigancé ce départ brusqué. Puisque tu ne t'étais pas démené sur le moment pour le récupérer — tu aurais pu ameuter tes amis, t'adresser à la police — il lui avait semblé évident que tu ne le revendiquerais pas à l'avenir, quelque usage qu'elle en fît. Ainsi l'avait-elle gardé pendant trois ans, mais déjà en laissant courir des bruits faisant présager l'existence d'un extraordinaire document posthume. Cette façon d'élever au maître disparu ce dérisoire monument fait de pierres volées était bien le pire des hommages à rendre à un homme dont on ne pouvait suspecter l'honnêteté intellectuelle et dont le souvenir, de toute façon, ne se fût pas entièrement effacé. Il s'agissait d'un acte délibéré, retors, et dont la responsabilité incombait entièrement à Sandra. A croire que ne trouvant pas suffisante la renommée du chercheur, elle avait voulu remodeler l'image de celui-ci et lui en substituer une autre qui mettrait à l'arrière-plan l'archéologue, le collectionneur et le savant. Seule une passion aussi aveugle était à la mesure d'un acte de cette nature. Mais encore une fois, comment comprendre? comment expliquer?... Tu butais sur le même obstacle, sur la même question insoluble que celle des rapports de ta mère et de Gast. Toutes les vérités vécues dans le déguisement et qui mettent en jeu, autant que l'amour, cette obscure fascination, plongent dans l'irrationnel. Peut-être Sandra se jugeait-elle coupable envers Atarasso; peut-être en offrant à ses mânes ce surcroît d'honneurs tentait-elle de l'apaiser et d'obtenir son pardon?

« Femme qui m'as enfermé dans le bosquet de Perséphone et à jamais exilé... » encore une de ces phrases qui dans ton livre mériteraient d'être signalées comme prémonitoires. Tu avais beau te débattre, tu étais pris dans le filet qu'avait jeté sur toi ta sirène, oiseau ou poisson, ou plutôt ta Circé. Mais tu refusais d'être changé en pourceau : tu voulais retrouver ton identité première et ta voix.

Pour cela il ne te restait d'autre possibilité que de te manifester au grand jour, non point pour obtenir réparation matérielle ou morale, mais parce qu'il te semblait intolérable de te faire le complice d'un faux aussi flagrant.

C'est du moins la raison que tu donnes au début de ta *Lettre ouverte à Messieurs les critiques*. Tu m'as peu parlé de cette période où renonçant à la tranquillité relative que t'assurait la confection de ces bijoux de métal et cette vie, en partie communautaire, parmi ces garçons et ces filles sincèrement persuadés qu'ils forment une secte, tu t'es efforcé d'émerger et de jeter le masque. Eux-mêmes, je suppose, ont dû se montrer les premiers surpris, se demandant quelle mouche te piquait tout à coup et pourquoi tu les trahissais. Tu n'étais plus dans ta ligne, ni dans la leur. Ce rôle de justicier, on ne peut dire que tu étais fait pour le remplir!... N'importe, tu t'es mis en campagne, écrivant lettre sur lettre, donnant des coups de téléphone, traînant dans les rédactions des journaux, dans les bureaux des revues pour essayer d'obtenir des rendez-vous. Et plus tu te voulais véridique, plus tu passais aux yeux de tes interlocuteurs pour un naïf et un fou. « Si vous êtes Atarasso, moi je dois être le pape... Ne me faites pas perdre mon temps! » Et pourquoi pas Napoléon ou Abraham Lincoln? Pourquoi pas Churchill ou Eisenhower? On t'écoutait, mais ça n'avait pour eux ni queue ni tête. « Et ces carnets, vous les avez conservés? » Tu aurais été bien en peine de les leur mettre sous le nez à ces sous-fifres du *New York Times* ou du *New-Yorker*. Les aurais-tu conservés, ces carnets, que ces fins limiers se seraient récriés de même : « Bon Dieu! mais ça n'a rien à voir... ça n'a rien à voir! » C'était précisément ce que tu t'efforçais de leur faire comprendre, et que tout était de ton cru. « C'est lui qui vous a demandé de faire ça? » Non ce n'était pas lui. « Mais qui alors? Qui vous l'a demandé? » C'était ton affaire, tu refusais de le dire. « Et lui, vous l'avez vu? vous lui avez parlé? » Tu ne l'avais pas vu non plus. Tout s'était fait par personne interposée. « Comment peut-on faire à son insu un livre dont on se dit l'auteur, et pour quelqu'un qu'on n'a jamais vu et qui ne vous l'a même pas demandé? » Ceux-là au moins avaient la logique pour eux. « Et vous avez reçu du fric pour ça? Est-ce qu'on vous en a proposé? » On ne t'avait fait aucune offre dans ce sens; de toute façon, tu n'aurais pas accepté. Le type allait s'envoyer quelques petits jets de flotte dans le gosier; il devait te trouver fichtrement jobard. Si c'était avec ce genre d'arguments que tu croyais convaincre l'état-major de *Life* ou d'*Atlantic Monthly*, par lettre-exprès ou de vive voix!... Tout ça ne tenait pas debout; on ne te l'envoyait pas dire. Tu étais bien le seul dans ce pays pour rester ferme sur de pareilles positions et croire que les gens allaient s'emballer, ouvrir un nouveau front. « Il nous faudrait d'autres preuves! » Mais on ne te demandait pas de revenir et d'en rapporter. Un doux rêveur, un asocial... voilà ce que tu étais. Et qui ne demandait même pas qu'on lui vînt en aide! Plus d'un, parmi ceux qui ont bien voulu t'écouter, ont dû se demander si tu ne transportais pas un engin explosif dans ta sacoche — cette sacoche dont tu avais refusé de te séparer en entrant dans le bureau. Ils devaient te regarder du même œil que si tu venais leur raconter que c'était toi l'auteur des *Manuscrits de la mer Morte*.

Si quelques journalistes se sont déplacés et t'ont trouvé au milieu de tous ces papiers éparpillés sur l'établi, le parquet et les matelas de votre dortoir, ils ont dû penser que tu étais un gars drôlement original et cinglé, ou avec un fameux instinct publicitaire. Il y avait cette musique qui ne semblait pas agir sur tes nerfs ni te gêner dans la rédaction de tes plaidoyers, mais qui les empêchait eux d'entendre ce que tu leur disais. Il y avait toutes ces allées et venues autour de toi, et leur attention était sans cesse détournée. Si un de ces journalistes rédigeait un papier après son expédition, c'était sur le ton badin, sans effleurer le sujet, et comme s'il avait vu là un type qui se prenait pour Jeanne d'Arc.

« Tu ne crois pas que tu ferais mieux d'abandonner? » te disait Vivéka quand elle te voyait taper en plusieurs exemplaires des communiqués destinés à *Die Velt* ou au *Corriere della Sera*. Tous ces jeunes formaient une troupe sympathique; mais qu'ils te crussent ou non, pour toi cela revenait au même. Vous étiez dans le même bateau : on ne vous permettait pas de débarquer. De simples figurants!...

Sans doute était-ce la première fois que tu rencontrais une telle résistance, si peu d'écho. Pour une fois où tu essayais d'être vrai, d'agir en ton nom, de te faire reconnaître pour ce que tu étais, on ne te prenait pas au sérieux. Tu t'obstinais, comme un sacré cabot qui n'arrive plus à trouver son public et qui court le cachet et les imprésarios. Maintenant c'était toi qui cassais les pieds aux autres avec tes affirmations répétées. Il devait bien y avoir quelques excités dans les parages qui auraient pu t'utiliser comme une sorte de cocktail Molotov, mais ton affaire ne les concernait pas. Tu n'étais pas pour eux une cause. A vrai dire, ils se foutaient pas mal d'Atarasso et que ce fût toi ou un autre l'auteur du bouquin. Littérature bourgeoise!

Ta lettre néanmoins circulait, mais en Europe la plupart des journaux avaient refusé de la publier. « Qu'est-ce qui lui prend à celui-là, on l'avait oublié? » Une plaisanterie, une très mauvaise plaisanterie dans le déballage du *Pop'Art!* « Il doit être drogué à mort. Qu'est-ce qu'il peut bien foutre à New York?... » Un truc monté de toutes pièces pour faire reparler de toi. Un gigantesque *happening*. Mais personne ne marchait. On ne trouvait même pas ça très drôle; tu avais été autrefois mieux inspiré; ça n'amusait pas. Et c'étaient précisément ceux qui t'avaient toujours montré le plus de sympathie, qui t'avaient accueilli, logé, nourri, prêté du fric, qui étaient les moins disposés à te croire. Et de se demander ce que tout ça cachait, par qui tu te laissais manipuler. Une question de gros sous! Une affaire entre éditeurs et qui se réglerait à l'amiable, donnant donnant! D'ailleurs, c'était toujours ainsi. Chaque fois qu'un auteur est publié après sa mort et que l'ouvrage devient un *best-seller*, c'est aussitôt la curée : on cherche à découvrir dans son entourage qui a bien pu retripatouiller le manuscrit, évidemment inachevé. Finalement, tout rentre dans l'ordre. Mais avec toi personne n'aurait voulu se donner le ridicule d'allumer la mèche. « Ce pauvre Géro, il doit avoir reçu un sacré coup sur la tête! » Et de ressortir une ou deux affaires où tu n'avais pas eu le beau rôle. La fois où, en Italie, tu t'étais fait piquer avec ces détrousseurs de tombes étrusques, près de Cerveteri, région où pour empêcher ces fouilles clandestines la police avait installé des miradors et mis en place des patrouilles. Tu avais été mis hors de cause, mais pas immédiatement. Et maintenant on ressortait cette histoire d'objets volés, acheminés vers l'étranger : ça ne dorait pas tellement ton blason, même si c'était la curiosité, le goût de l'insolite qui t'avaient conduit à entrer en contact avec cette pègre, ces archéologues du clair de lune. De son côté, le vieux Molionidès n'avait pas hésité à révéler de quel bois tu te chauffais à l'occasion pour parvenir à tes fins en ressortant lui aussi cette histoire de camée que tu avais essayé de faire acheter par Atarasso, comme si celui-ci était homme à tomber dans le panneau. Tout cela ne plaidait guère en ta faveur. Tu avais bel et bien raté le coche. Dans les frontières de l'infamie, il est plus difficile de provoquer le scandale de la vérité que d'imposer le mensonge. Je ne m'étonne pas que tu m'aies si peu parlé de cette période là, qui a certainement été la plus amère de toute ton existence. A lui seul le rappel de toutes ces démarches qui n'ont abouti qu'à faire de toi un suspect, qu'à te faire traiter de voleur, de faussaire, de trafiquant — et ceci par un complet retournement des données réelles de la situation — pourrait constituer la trame romanesque d'un autre récit. Si détaché que tu aies pu être de tout ce qui tient en haleine les trois quarts de l'humanité — l'ambition, l'intérêt personnel, le désir d'être reconnu, salué et encensé... — tu as dû souvent te sentir submergé par le dégoût et la honte. Je vois bien tout le parti qu'un romancier réaliste pourrait tirer de cette lutte solitaire qui n'a fait que t'enfermer dans l'invraisemblance et le discrédit. Là n'est pas la question. Sans doute n'étais-tu pas le genre de bagarreur capable de mener à bien cette polémique et ne t'y engageais-tu que pour forcer en toi une vérité qui, de toute façon, ne pourrait jamais être celle des autres. Une seule chose peut expliquer un si total échec : tu avais trop effacé ta propre réalité, trop bien dissimulé en toi l'homme réel, pour pouvoir donner un visage à tes preuves.

Là où tu n'as pas réussi, comment réussirais-je? Là n'est pas la question. Ceci ne regarde que moi. Cette aventure, suis-je celui qui la raconte, ou est-ce moi qui l'ai vécue?

Ce qui paraît autrement nécessaire et urgent, c'est d'en arriver au texte lui-même et de baser sur celui-ci un autre système d'interprétation. Non pas, comme beaucoup de critiques ont pu le faire, fondant leur décryptement sur un certain nombre de thèmes plus ou moins aperçus derrière ce foisonnement, mais sur une intuition sous-jacente et à partir de laquelle une autre lecture pourrait être proposée.

Je reprends la phrase du début : « Ces mondes enfouis où nous allons à la rencontre de nous-mêmes... », elle fixe intentionnellement le processus. Un itinéraire, une *quête ;* bien que le mot soit un peu usé, la direction, elle, est donnée. Et en même temps, si l'on garde présent à l'esprit l'expérience singulière dans laquelle tu te trouvais engagé au moment où tu écrivais ces premières lignes, on ne peut manquer de noter quelle part de révélation, de découverte personnelle, entraînait pour toi cette aventure tout au long de laquelle tu progressais lentement comme au cours d'un voyage alchimique dont seule la fin viendrait éclairer les commencements, les départs, dévoiler les figures, les divers épisodes, et pour tout dire : le sens.

Que la donnée initiale t'ait été fournie par Atarasso ne semble guère en question. Décrivant une coupe stratigraphique sur un site archéologique récemment repéré et quadrillé, et après avoir indiqué le nombre des strates révélées par le sondage vertical et correspondant chacune aux déblais et aux sédiments laissés sur place par plusieurs civilisations successives, Andréas Italo a pu s'amuser à imaginer un niveau que nul avant lui n'aurait reconnu ou situé et se demander ce qu'il adviendrait si, ne faisant part à personne de sa découverte, il poursuivait sa prospection à l'insu de tous et continuait à exploiter seul le filon.

L'idée d'une civilisation inconnue est-elle si étrangère à l'esprit d'un homme qui pendant plus d'un demi-siècle n'avait cessé de voir surgir, entre l'Indus et la première cataracte du Nil, d'autres passés du passé déjà connu, et les temps historiques continuer de se déplier, révélant d'autres hommes, d'autres dieux, bien en deçà de la Babel biblique? Pour un savant soumis aux méthodes de cet obscur déchiffrement — si étranger à l'obsession des trouvailles sensationnelles qui pour les non-spécialistes expliquerait seule les longs efforts des chercheurs — cette fantaisie ne devait pas représenter beaucoup plus qu'un jeu de l'imagination.

Tout le jour Atarasso avait travaillé sur le terrain avec son équipe — épigraphistes, dessinateurs, photographes, réparateurs... — veillé à ce que ses ordres fussent transmis au chef de chantier, vu s'agiter autour de lui une centaine d'ouvriers maniant le pic et la pioche, poussant des wagonnets, pompant des nappes souterraines, étayant les sols friables, et quand il se retrouvait le soir sous sa tente, plutôt que de prolonger la discussion avec ses collaborateurs, sans doute préférait-il lire un roman policier ou noter ce qui lui venait à l'esprit. Les conditions de vie étaient rudes. Les mouches, les serpents, les scorpions, une chaleur torride pendant la journée, et pendant la nuit un froid vif, les chacals et les hyènes rôdant autour des campements. D'autres dangers aussi pouvaient parfois venir de l'hostilité des populations nomades, plus ou moins dissidentes ou fanatiques.

Imaginer un autre terrain de fouilles où il pourrait avancer seul dans sa recherche sans avoir à se préoccuper de ces difficultés ni même requérir auprès des autorités la protection des fusils, a dû correspondre chez lui au besoin de rompre la monotonie de cette existence et de retrouver une sorte de liberté onirique étrangère à toute préoccupation scientifique.

Tu connaissais bien ce genre d'existence, ces régions, mais l'idée initiale de *Description d'un Empire terrestre* appartient en propre à Atarasso : à savoir la découverte de la couche sédimentaire qui n'apparaît sur aucune coupe, sur aucun relevé, et qui va devenir le point d'accès à cet espace intemporel, à ce « monde enfoui » ignoré de tous, sauf du chercheur qui décide d'y poursuivre sa prospection. Dans les lignes qui suivent, tu n'as fait que transcrire ou t'inspirer directement d'un passage des carnets.

« J'apercevais un niveau qui pour moi seul correspondait à un moment précis du temps. Un des ouvriers avait été tué dans cette tranchée par la chute d'un quartier de roche, et comme le sondage n'avait rien révélé, ni tessons, ni objets, ni fondations, et que de nouveaux éboulements risquaient de se produire dans un terrain où les traces d'un précédent séisme restaient encore visibles, la fouille à cet endroit avait été abandonnée. J'étais le seul à y redescendre. Le travail continuait ailleurs. Je promenais mes doigts sur la paroi. J'apercevais une fente dont les bords s'écartaient peu à peu. Je me glissais à l'intérieur. Soudain, sous mon regard, le temps s'ouvrait... »

Atarasso est-il resté fidèle à ce schéma? Il l'eût probablement retrouvé si, voulant faire œuvre littéraire (ce qui paraît douteux), il eût essayé de reprendre lui-même ces notes et d'en faire une synthèse globale. Qu'en marge de travaux qui laissent peu de place à ce genre d'utopie et de fantasme il ait continué à lâcher la bride à d'aussi fertiles divagations peut être pour un esprit de sa trempe une gymnastique assez salubre. Qu'un savant ait envie de vaticiner à l'air libre sur des sujets qui lui sont familiers, mais dans un autre esprit que celui d'une application méthodologique, en utilisant un langage qui n'est pas le sien (et qui pourrait faire suspecter le sérieux de sa recherche) relève du cycle des tentations refoulées chez un homme qui, sachant parfaitement combien il est difficile d'avancer sur le chemin de la connaissance, rêve parfois d'une voie plus directe qui l'amènerait à la découverte immédiate sans devoir recourir aux habituelles méthodes analytiques, comparatives, aux habituels instruments de mesure. Un jeu certes, qui ne passe pas par le laboratoire, qui se moque de la spectro-chimie et du carbone 14, et équivaut à une sorte de défoulement poétique.

L'idée de ce passage imaginaire ouvert tout à coup dans une dimension inconnue du temps n'est d'ailleurs pas, à beaucoup près, originale. Version à peine différente, l'aventure du voyageur égaré qui retrouve le chemin de l'Atlantide, découvre des « cités mystérieuses », tantôt sur une « île inabordable », tantôt dans des « forêts impénétrables », ou sur des « sommets inaccessibles ». Vieux thème en somme. Inventer une civilisation s'est fait, à toutes les époques; ni Campanella ni Flaubert ne vous ont attendus, Andréas Italo et toi, pour réinventer la cité du Soleil ou Carthage. Ton maître n'a pas dû aller au-delà; d'autres considérations ont entravé ce projet. Ses carnets sont certainement une sorte de fourre-tout, et je comprends qu'ils t'aient fait penser à un bonheur-du-jour tellement bourré d'objets hétéroclites qu'on n'arrive plus à en ouvrir les tiroirs.

C'est pourtant dans un de ces tiroirs que tu as pris l'idée de cette déchirure restée invisible dans le tissu du temps, et ensuite, l'idée de cette variation, de cette broderie spéculative autour de grandes figures de l'histoire ou de la fable, autour d'événements ayant réellement eu lieu, ou entièrement inventés, ou repris dans un contexte différent. Tout cela représentait une trame suffisamment suggestive et une réserve thématique à proprement parler inépuisable. Et soudain pour toi la voie était libre. L'aventure continuait là où Atarasso s'est probablement arrêté. Ce monde inconnu que tu voyais s'éveiller à mesure que tu avançais à sa découverte communiquait avec tous les autres niveaux et en devenait le symbole. Tous les passés en un seul. Ce qui a été réellement vécu avec ce qui aurait pu l'être. Si tu voyais surgir des divinités déjà connues, tu t'appliquais à confondre leurs attributs ou à les transplanter sous d'autres cieux. Et de même tu t'amusais à mêler les généalogies et les aventures des héros retrouvés sur ta route, à changer les climats, à inventer des peuples ou à fixer pour eux un autre destin que celui que l'histoire leur reconnaît. Ce constant dépaysement, ces chassés-croisés entraînent ton univers dans une perpétuelle métamorphose. Tu ne te contentes pas de prêter aux objets une autre destination que celle que l'usage leur accorde, tu décris les lieux les plus identifiables, au cours de ta périégèse, en en changeant du tout au tout la topographie, la végétation et les mœurs. Tu improvises l'homme à partir d'autres lois génétiques, d'une autre morphologie, d'un autre psychisme. Un mutant. Une créature sans cesse réinventée par la nature.

Comment définir ce chaos, ce prodigieux transformisme qui te permet d'enfermer toute l'aventure de l'évolution des espèces dans cet unique symbole ? Cela fait penser à ces enluminures, à ces pages-tapis de certains manuscrits irlandais où les formes s'enroulent en volutes, se déplient, s'épanouissent, naissent sans fin les unes des autres. L'art connaît ces zoologies fantastiques, ces bestiaires anthropomorphiques, ces merveilleux hybrides nés du plus ancien limon et qui en prolongent l'inquiétante fertilité. En conjuguant le vécu à cette improbabilité permanente, les formes fixes et le délire des formes, n'as-tu pas rêvé l'univers comme une sorte de mythologie fantastique ?

Pourtant, il s'agit bien d'une *description* — le titre le dit — et de la *description d'un empire terrestre*. Cet aspect aberrant n'est-il que le revers de la réalité ? Ce monde indéfiniment transitoire n'est-il que la projection de ce chaos, de cette cellule primordiale qui continue d'enfermer en chacun de nous tout le possible et en chaque parcelle de l'univers d'instaurer sa totalité?

De ce chaos — du moment qu'il est vu, raconté, situé dans l'insituable, enfermé dans un vocabulaire, des images, un regard — finit par se dégager une nécessité. Celle de l'homme qui accomplit ce périple et qui, en offrant des mots à son délire, surgit au centre de cette description.

Je veux bien croire que, relisant ces textes publiés sans le moindre changement, tu as éprouvé, en dehors de tout autre sentiment, une singulière anxiété. Le livre existait sous tes yeux. Quel rapport entre lui et toi? Pouvais-tu le revendiquer? Ou bien vivait-il déjà d'une vie indépendante, comme un enfant que tu n'aurais pas reconnu à sa naissance?

Quel sens donner à une aventure qui t'obligeait à être ton propre témoin et, modifiant le sens de ta vie, faisait de tant de refus comme l'appoint préalable d'une expérience créatrice? Une telle vision du monde pouvait-elle être celle d'un homme qui a trop bien réussi dans la vie et ne s'est jamais accordé aucune variation par rapport au but qu'il s'est fixé? Il est bien évident qu'Atarasso, ayant été plus que tout autre le champion de ce genre de réussite, n'aurait pu entreprendre cette difficile navigation intérieure. Atarasso n'a jamais eu à se chercher; et s'il eût poussé son projet, c'eût été dans le sens d'un divertissement fabuleux et pittoresque. Tu t'es engagé dans une autre direction, passant de l'anecdote à l'écriture chiffrée, du récit d'aventure à la poésie et à l'imagerie onirique, en somme de Jules Verne à Lautréamont.

Mais votre rencontre n'en reste pas moins extraordinaire, et tu as bien dû t'apercevoir, au moment même où tu t'apprêtais à le chasser de tes terres, que vos destins étaient liés. Dans le manuscrit tu emploies constamment la première personne, mais oserais-tu prétendre que ce *je* t'appartient en propre, qu'il n'a pas jailli d'un autre sol, qu'il ne s'est pas greffé sur un autre arbre, entre un passé que tu lui empruntais en partie et un présent que tu avais toujours laissé échapper?

D'une certaine façon ce *Je* n'est pas toi, ou n'est toi que par un étrange raccordement à la destinée d'Atarasso. Pourtant, ce *Je* (ce jeu) t'aura obligé à reprendre pied un instant et à sortir du courant qui t'entraînait depuis toujours. Il t'aura fallu ce guide pour te révéler ce qui t'appartenait en propre dans tous ces reflets de toi-même dont l'ensemble ne permettait de cerner que la personnalité d'un être qui ne se choisit que contre soi et dont le but unique serait une sorte de dé-création.

Il te fallait cette rencontre et l'énormité de ce molosse endormi devant la porte de ce labyrinthe pour te donner le courage et la curiosité d'y pénétrer. Tu détachais sa chaîne, et dès lors il devenait ton gardien et tu n'avais plus qu'à le suivre. Il t'ouvrait des chemins que tu n'aurais jamais osé emprunter. Un grand silence vous accompagnait au long des avenues de ce jardin peuplé de statues et de sphinx. Tu devenais cette aventure que tu ne gouvernais pas. Tu devenais cet autre, et ton sang passait dans ses veines. Pourtant, sa force t'habitait, son génie, sa réussite, l'immensité de son savoir, toi qui n'avais vécu que dans la gratuité, le simulacre, les identités saugrenues, l'angoisse et le refus d'avoir à te reconnaître dans un seul de tes gestes, dans un seul de tes choix. Et parce que lui n'avait jamais varié, ni hésité devant la route à suivre, il te maintenait à la tâche. Pour la première fois celle-ci t'était facile, dictée. Tu te créais d'autant plus joyeusement que tu ne te sentais pas le père de ce que tu créais. Engagées sur la tête d'un autre, tes réserves semblaient inépuisables. Néanmoins tu devenais ton propre démiurge, sans apercevoir encore ce qui te liait à cette création insensée. Et sans doute étais-tu heureux — heureux comme tu ne l'avais jamais été auparavant. Plus gratuit, croyais-tu, que dans aucune de tes entreprises précédentes; celles-ci nées de ce sens pervers de l'inefficacité et employées à ton effacement. Tu avais toujours reconnu chez Andréas Italo ta parfaite antithèse : tu avais l'impression de dessiner dans sa main la forme de ton absence.

« Tu es cendres et je serai brûlé sur ce bûcher... »

Je pique cette phrase en tête de ce curieux passage sur les *Mères* (cosmiques, s'entend!), un de ceux sur lesquels les commentateurs s'attardent le plus en général. Sandra, cendre! Comment imaginer que ce jeu de mots te soit venu au hasard? Cendre, c'est bien le nom que tu lui as donné, et peut-être la première fois que tu l'as eue entre tes bras. Parce que cendre est légère, tiède et douce sous les doigts, entraînée par le vent qui faisait s'envoler les pigeons matinaux autour du campanile, et parce qu'il ne te restait d'elle qu'un parfum insaisissable et blessé, comme celui d'un feu qui ayant couvé toute la nuit sur un lit de violettes sauvages, achève de s'éteindre sous la bruine d'automne.

Tu as beau adresser ce discours à la Terre, à la matière primordiale — t'es-tu souvenu de Lautréamont : « Je te salue, Vieil Océan! »? — comment ne pas apercevoir derrière ce changement de voyelles une prémonition? D'ailleurs, toutes ces figures féminines retrouvées au cours de ton voyage intérieur ne sont-elles pas une seule et même figure, énigmatique et augurale?

J'aperçois la même évolution, le même changement dans ta façon d'aborder le personnage et de chercher en lui d'autres aspects que ceux que lui imposaient ta colère et le ressentiment dans cette phase d'agitation et de délire qui a suivi ton opération. Derrière l'image de la fille qui s'était si bien moquée de toi, une autre se détachait : celle de la femme voilée qui approche de son visage une flamme qu'elle tient entre ses mains. La confondais-tu avec une de ces messagères, diaphanes dans une zone de ténèbres, que tu avais pu voir chez quelque peintre luministe, ou avec une des figures de la *Villa des Mystères?* Les apparences se modifiaient, révélant à côté de la « dévoreuse » la médiatrice; à côté de la Circé qui avait si bien endormi tes réflexes de défense, la Sibylle, « mais la plus lointaine, disais-tu, la Cimmérienne, celle qu'oublient toujours les artistes ». Presque à chaque page de ton bestiaire fabuleux, de ta promenade onirique, on peut retrouver cette terminologie mythique, cette alternance entre deux visages, l'un réveillant ta colère, l'autre curieusement emblématique. Comme dans ces *textes de présages* dont tu t'amuses à confondre les signes et à mélanger les symboles, Sandra devenait « la Dame du Palais », « l'introductrice », la mystérieuse « cabaretière Sidouri », celle qui dit au héros Gilgamesh : « Où donc cours-tu, Gilgamesh? La vie que tu poursuis, tu ne la trouveras pas. Lorsque les dieux créèrent l'humanité, c'est la mort qu'ils t'ont donnée. La vie c'est eux qui l'ont gardée. »

Sous ce foisonnement épique, l'aventure vécue par toi reste continuellement sous-jacente. Ainsi, parlant des Cimmériens « citoyens de la Nuit perpétuelle », te vient soudain cette question : « Et moi suis-je de cette race? »

Il est certain que cette bizarre expédition correspond à une sorte d'anxiété que les circonstances singulières de votre rencontre libérait par le mécanisme du langage et de la vision. En te remettant ces notes, Sandra te forçait à sortir de ton ornière. Soudain, voyant par les yeux d'un autre, tu voyais ce qu'il ne t'avait jamais été donné de voir, entendais ce qu'il ne t'avait jamais été donné d'entendre. Peut-on appeler cela une révélation? Cette voix qui te revenait du fond de l'horizon, c'était la tienne, telle que tu l'avais toujours pressentie, désespérément espérée. Et les mots t'étaient donnés par surcroît : ceux-là même qui s'étaient toujours dérobés. Une révélation? ... Infiniment plus : la parole!

Oui, j'imagine ton trouble, en retrouvant imprimés tous ces textes, et en te souvenant de ces semaines où, sans t'y appliquer outre mesure, tu avais été l'instrument de cette lente épiphanie verbale, captant les images plutôt que tu ne les inventais, et comme si tout à coup un brusque changement d'éclairage te permettait d'apercevoir un paysage derrière une vitre embuée.

Malgré ta colère contre celle qui t'avait joué ce tour, tu ne pouvais échapper à cette certitude : par elle, tu avais connu la joie, une joie pure, sans mélange, celle de voir jaillir sous tes yeux une terre nouvelle dans sa frange d'écume, sous un soleil que n'aveuglait pas cet essaim de mots, dans un silence que n'assourdissait pas ce bourdonnement. Aucune découverte ne t'avait été plus miraculeuse, plus libératrice. Peut-être faudrait-il évoquer l'enfance — telle que les poètes la rêvent — pour retrouver un sentiment égal d'adhésion immédiate, presque sauvage, à une réalité que rien d'autre ne traduit sinon le désir de s'y jeter à plein et de s'y perdre.

Du moment que le prétexte t'était fourni, tu n'avais pas à rougir de ton audace. On ne te demandait pas ta signature. Tu n'entrais pas non plus dans ce système qui fait de l'œuvre un objet monnayable dans la société de consommation. Tu échappais à cette simonie, à ces engouements, à tout ce trafic.

Telle pourrait être la véritable explication de ces changements, non seulement dans *Description d'un Empire terrestre* (autant dire le tien), mais dans *l'Immémorial*, second volet de cette somme cyclique et qui allait en être le terme, l'accomplissement, quand tu t'es rendu compte que ta campagne n'avait rien donné, que personne ne marchait et ne te prenait au sérieux, et que, si tu voulais rompre cet envoûtement, il te fallait reprendre la plume, écrire cette fin et la publier sous ton nom, unique moyen, pensais-tu, de faire éclater la vérité.

Lecteur privilégié, je suis probablement le seul à interpréter ainsi ces deux livres. Et sans doute n'est-il pas absolument nécessaire de posséder ces clés pour que l'œuvre ait un sens — indépendamment d'Atarasso qui ne l'a pas écrite et de toi qui t'en es laissé priver. Qu'elle soit porteuse de tant d'interprétations diverses, riche de tant d'exégèses contradictoires, n'en signale que mieux l'identité. Si je parvenais un jour à accréditer tes affirmations qu'aurais-je fait de plus que de la retirer à l'un de vous deux? Faible changement par rapport au contenu réel de celle-ci. L'énigme de cette naissance que rien, dans les deux cas, ne semblait annoncer subsisterait : elle n'en deviendrait pas pour autant différente. De toutes les illusions de l'esprit la plus vaine n'est-elle pas de croire que l'homme survit dans une œuvre, alors que la seule chance de durée pour celle-ci est précisément cette puissance d'expulsion, de rejet, qui la blanchit, l'épure en fin de compte de son auteur, lui permet d'effacer les signes de l'hérédité et de rendre presque négligeables les incidences existentielles qu'on a cru devoir signaler?

C'est cette cendre-là que le temps ne peut que disperser. Cette certitude restait en toi comme une bouleversante espérance car, au lieu de t'écarter de ce qui eût pu être ton destin, elle faisait de toi, plutôt que l'expression coriace d'une individualité, le témoin d'une vérité trop méconnue et qui te paraissait aveuglante chaque fois que tu te tournais vers le passé.

« *Ils ont brisé mes fers dans la Chambre impériale...* » je trouve cette phrase dans les pages que, dans *l'Immémorial*, tu consacres à la mort de Trajan. La plupart des critiques continuent à se demander quel peut en être le sens, avançant en général qu'Atarasso a voulu se représenter sous les traits du vieil empereur que l'expédition contre les Parthes avait conduit dans ces régions où lui-même avait travaillé toute sa vie. Personne ne semble avoir remarqué que c'est là la seule référence non fabuleuse, non truquée, de ton périple imaginaire. Tout le second volet de l'œuvre — si nous la prenons comme un tout — tourne autour de cette guerre entreprise pour assurer la sécurité des caravanes vers l'Asie et rendre romaines les routes jusqu'au Golfe Persique. Atarasso s'étant toujours intéressé à cette période tardive de l'histoire mésopotamienne et en particulier à la glyptique parthe, on ne s'étonne donc pas qu'il ait mentionné plusieurs épisodes de la conquête et se soit assimilé à l'empereur.

En fait tu aurais pu aussi bien choisir chez Xénophon tel épisode de la *Retraite des Dix-Mille*, ou bien dans ton imagination le rêve d'Alexandre. Là encore ton choix ne vient pas au hasard. Tu ne tentes pas d'être l'historien qui fait défaut à la guerre parthique. Une victoire, certes, mais ambiguë, et qui si elle marque le point culminant de la puissance impériale, « met le vainqueur du côté des dépouilles », comme le rappelle une phrase que tu cites. Une victoire qui pourrait se muer en méditation de l'échec et du renoncement. Cette mélancolie devant le triomphe que l'on trouve également chez Lawrence d'Arabie. L'image qui fixe ton attention n'est pas celle de l'empereur salué par la renommée, mais de l'homme qui tourné vers l'Orient (j'ai cité ailleurs ce passage) rêve d'une conquête impossible, puis foudroyé par la maladie, meurt sur le chemin du retour, privé des triomphes qui l'attendent à Rome. Sélinonte, ce nom s'est fixé dans ta mémoire, et je sais bien ce qu'il représentait pour toi. Quant au symbolisme de cette chambre pauvre où le vieil homme voit son génie replier à son chevet les ailes de la fortune, ce symbolisme risque de continuer à échapper à des commentateurs qui, ignorant ton existence, ne comprendront jamais comment Atarasso a pu isoler dans la suite des temps ce héros frustré de sa victoire et épousant cette forme vide que les apparences de la gloire et du triomphe ne suffisent plus à vêtir.

Un échec et le plus cinglant, le plus universel désaveu, c'est tout ce que Géro a réussi à récolter. Personne ne voulait plus l'entendre ni l'écouter. Qui eût pu lui faire confiance? Ses fantastiques allégations n'avaient pu naître que dans un cerveau déjà troublé : le mieux était de ne leur accorder aucun écho. Son *J'accuse* lui restait sur les bras. Il n'était parvenu ni à saisir l'opinion ni à éviter de passer pour un fou. Mais si le scandale faisait long feu, cette malencontreuse entreprise a bien failli lui attirer des ennuis avec les services d'immigration et avec la police. Si les défenseurs occultes d'Atarasso se sont bien gardés de lui intenter un procès en diffamation qui eût relancé l'affaire, ils ont utilisé d'autres moyens pour le réduire au silence et, sans mettre en ligne la grosse artillerie, ont tout de même réussi à faire de lui un homme traqué.

Du moins l'affirmait-il; il est possible qu'il ait poussé au noir et se soit cru persécuté. Il l'était de toute façon. Les difficultés qu'il disait avoir eues à ce moment avec la police pourraient bien avoir été provoquées dans le but de l'intimider. Sa nationalité véritable reste un point épineux. Monégasque? Comment prendre au sérieux cette invention? Son engagement dans l'armée n'avait pu que normaliser sa situation vis-à-vis de l'Amérique. N'être de nulle part, rejeter toute espèce de citoyenneté, faisait partie de son jeu, de son cabotinage. Je penserais plutôt que ne s'étant jamais soucié d'être en règle, n'ayant conservé, à travers tant de déplacements, aucun document relatif à son incorporation, il a dû, pour répondre aux explications qu'on lui demandait (peut-être ne concernaient-elles que ses faits et gestes, ses affiliations politiques au cours des dernières années avant son retour aux États-Unis) se soumettre à l'humiliante nécessité de donner des preuves de son civisme, de ses états de service, et peut-être même, pour écarter toute menace d'expulsion (mais je ne pense pas qu'il ait été dans ce cas), de devoir s'adresser à Gast, importante personne bien connue à Nashville (Tennessee) et de plus frère de sa mère.

Ces divers incidents, en tout cas, montrent combien sa situation était précaire et plutôt de nature à retirer de la crédibilité à ses dires qu'à les renforcer.

Dans ces conditions Greenwich Village n'était certainement pas pour lui un refuge de tout repos. Trop d'individus en rupture avec la société, certains fichés, plus ou moins impliqués dans des affaires de drogue ou de mœurs. Si la police avait l'intention de le piquer, le prétexte serait trop facile. En quittant le Village et New York a-t-il cédé à une crainte de cet ordre, ou bien a-t-il jugé l'atmosphère autour de lui trop bruyante, trop artificielle et finalement peu conforme à ses visées ?

Il a passé un certain temps dans les environs immédiats de Newport, mais sans parvenir à se détendre et à retrouver son calme. L'existence de ce livre, désormais hors d'atteinte, poursuivant sa course solitaire dans l'espace, continuant à transmettre des signaux, suivi par tous les radars, mais n'obéissant plus aux ordres qu'on lui donnait et refusant de rentrer dans les basses couches de l'atmosphère, l'existence autonome de ce livre l'obsédait. Une récupération difficile, un combat gigantesque, et qui était devenu pour Géro une sorte de hantise, d'idée fixe. Et ceci d'autant plus que les premiers résultats de la manœuvre avaient été pitoyables, déprimants. Que son équilibre en ait été perturbé au point de lui faire croire qu'il était l'objet d'une surveillance particulière, que peut-être on cherchait à le supprimer, n'était que la conséquence d'un fait qui le privait du droit de disposer librement de ce qu'il ne pouvait considérer que comme une part de lui-même.

Le choc avait également sapé cette résistance physique qui avait fait si longtemps de lui un champion toutes catégories bien protégé contre les incidents de parcours. J'ai déjà fait allusion à de possibles ennuis de santé qui ont pu se produire avant qu'il ne quitte l'Europe : n'était-il pas revenu en Amérique comme un homme qui voudrait retrouver un second souffle? Il vivait désormais au fond d'une sorte de mauvais rêve : plus rien n'était réel autour de lui. Il se peut que cette fatigue, le besoin de respirer un air plus vif, l'aient décidé à fuir New York. La dominante restait néanmoins sa volonté de poursuivre la lutte et d'échapper à cette surveillance dont il affirmerait plus tard avoir été l'objet pendant son séjour à Newport.

... Ils me poursuivent. Ils savent qui je suis et ne me lâchent pas. Quand je me rends au centre de ravitaillement le plus proche, ils sont là dans mon dos; ils se déplacent d'un rayon à l'autre, sans me perdre de vue; s'approchent de la caisse au moment où je recueille la monnaie au bout du bras métallique. La nuit j'entends leurs pas dans le couloir... Mais ils ne me réduiront pas au silence. J'effacerai ce qui n'aurait jamais dû exister. Le mensonge disparaîtra... Aucune trace...

Comme il ne se jugeait pas « assez en sécurité » sur la côte, il s'est embarqué pour Nantucket où il a réussi à s'installer dans un ancien hangar de bateau sommairement aménagé pour les *week-ends*. Ce n'est certainement pas le caractère pittoresque de cette île qu'on se plaît à comparer, pour sa forme, à une côtelette de porc, non plus que ce qui peut encore rappeler la première colonie de Quakers ou l'ancien port baleinier, qui ont pu l'attirer là, mais bien plutôt le puissant déferlement de l'Atlantique au large sur les récifs et la nuit le bruit de l'océan traversant ces minces cloisons.

Je l'imagine sans peine se promenant dans ces rues pavées de galets, désertées par les touristes, s'arrêtant devant les nobles façades des belles demeures des anciens capitaines baleiniers (si semblables avec leur péristyle corinthien à la maison de Nashville), mais surtout longeant les embarcations amarrées, et là respirant à nouveau un parfum d'Europe. L'île tout entière devenait pour lui une avancée, une sorte de balcon, un de ces *widow's walks* juchés au sommet du toit d'où les épouses anxieuses embrassaient du regard et scrutaient autrefois l'horizon.

... Je m'étais comme détaché de la terre. Le voyage recommençait. Je passais des heures à marcher le long de ces plages, et parfois, à l'abri du vent, il m'arrivait de m'endormir, à moitié enfoui dans le sable, et de ne me réveiller qu'alors que la nuit, rapide à cette saison, était déjà tombée... de me réveiller, les lèvres gercées de sel, les oreilles pleines de la même rumeur que les coquillages que je sentais glisser sous mes doigts. Des balises, des feux mobiles ou fixes, étoilaient l'immensité, dessinant les frontières du réel entre des pointes invisibles, *Sankaty Head*, *Great Point*... Un pêcheur isolé, perdu en avant des écueils, ne se fût pas senti plus seul en apercevant ces lumières dansant au-dessus de cette frange de périls...

Cette solitude l'aidait à se retrouver et à faire le point. Il avait refusé que Vivéka vînt le rejoindre à Newport, et maintenant personne ne savait où il était. Pas d'autre cheptel que ces vagues, pas d'autres empreintes que celles que le vent effaçait derrière lui. Il n'envoyait plus de lettres au *New-Yorker* ni en Europe. Il comprenait que cette histoire l'avait sonné, salement sonné; qu'il avait réagi comme un naïf, comme un imbécile, et qu'il fallait agir de façon différente; mais l'arme était encore à trouver.

Un soir il avait tiré de son sac le bouquin et une fois de plus, à tête reposée, s'était appliqué à le relire.

... Cela m'a paru compliqué, que dis-je?... baroque, tarabiscoté, surabondant, pléthorique... surnaturel. J'y rentrais difficilement. Si j'avais écrit d'autres livres, ce n'est pas celui-là que j'aurais choisi et que j'aurais conseillé aux gens de lire. Et pourquoi ce ton prophétique?... Tout me semblait tellement plus simple. Il me semblait surtout que celui qui l'avait écrit s'était arrêté en chemin... avait été comme interrompu... Je ne suis pas allé jusqu'au bout. Finalement, je l'ai jeté dans le feu et l'ai regardé brûler... comme ma mère avait regardé brûler son atelier, trente années et plus de peinture, de sa fenêtre, sans descendre, sans essayer de sauver un dessin... « On emporte toujours trop de choses avec soi! » C'était sa phrase quand, se rendant compte qu'elle n'arriverait jamais à boucler ses valises, elle se mettait à tout donner, à tout distribuer, préférant, disait-elle en manière d'excuse, préférant repartir à vide... Elle y a bien réussi quand elle est morte. D'elle il ne restait rien — un fils qui continuait à courir le monde, deux autres avec qui elle était brouillée et qui ne se sont pas dérangés... Rien sinon le regard que Gast n'arrivait pas à détacher de cette motte de gazon sous laquelle ils l'ont enterrée...

L'impression que Géro avait gardée de cette relecture? ... Un vaisseau trop chargé que le poids de sa cargaison entraîne par le fond. Il fallait des plongeurs exercés pour arracher quelque chose de ses flancs... Libre à d'autres d'y trouver leur compte, des raisons de vivre ou de s'émerveiller... cette denrée lui restait un peu sur l'estomac. Il eût fallu tout reprendre. Mais on ne récrit pas plus un livre de cette nature qu'on ne recommence sa vie. Un autre, peut-être, on en écrit un autre.

... Le temps s'était complètement détraqué. Il faut bien faire quelque chose. On ne peut pas rester dehors du matin au soir à s'envoyer des rasades de pluie et de vent ou à guetter des épaves. Et puis, ça venait si facilement. J'avais déjà le titre : *l'Immémorial*. Même en laissant de côté tout ce que j'avais fourré dans le précédent il me restait encore beaucoup de choses à dire. J'avais fichu par-dessus bord toutes ces sacrées mythologies et ces symboles, tous ces voyants, ces devins et ces pythies avec leurs trépieds. Je ne reconstruisais pas la Tour de Babel, ni le labyrinthe; je prenais les choses comme elles sont et sans mettre les yeux à la place du nez... Rien d'autre que l'instant présent. Une profession de vie, et très loin des présages, des dieux. Le paysage de l'immédiat. J'écrivais, et j'avais l'impression que la page restait blanche sous ma main. C'était net et frais comme un fruit sur la branche, doux au toucher comme un visage d'enfant endormi. Un exercice probe et salubre. Que dire de plus? Je ne me posais pas de questions. Je me tenais compagnie. J'avais fini, je crois, par me rencontrer, mais loin de toutes ces choses qui m'avaient si longtemps obsédé, loin de ces prophéties qu'on prétend imposer... J'étais au calme dans ce hangar, devant cette mer bouillonnante sur les récifs. Toutes ces allées et venues, ces arrivées, ces départs, qu'est-ce que j'en avais tiré? Ce calme en face de l'océan agité me permettait de faire le tri. Je me souvenais d'avoir été heureux, parfois, entre quatre murs... Ces chambres, je ne les trouvais jamais assez vides, assez dépouillées. Et pourtant, chacune était différente, un lieu distinct, même si ma mémoire ne les situait nulle part... Et quelle serait la dernière?...

Géro le saurait plus tard, mais il était loin encore de ce détachement définitif; cette évasion vers le non-être n'était encore qu'un mirage à la suite de beaucoup d'autres.. L'homme qui dit qu'il s'est enfin *trouvé* montre suffisamment qu'il n'a pas renoncé et reste décidé à être reconnu pour ce qu'il est. Quant à l'écrivain qui fuit un milieu où il a le sentiment de perdre son temps et sa substance, celui-ci ne fait qu'obéir à un instinct de défense et chercher un lieu plus favorable pour travailler. Et Nantucket, pour Géro, c'était cela. Moins une île qu'un promontoire bien exposé aux vents du large où il retrouvait, avec les odeurs venues d la vieille Europe par-dessus l'océan, une tentation toujours vivace. La baleine blanche continuait de le narguer, et lui continuerait de la poursuivre jusqu'aux mers australes. Le plaisir qu'il se donnait n'était en rien différent de celui qui lui avait été révélé — en quelque sorte offert par le hasard — cinq ans plus tôt. Et l'on peut s'étonner qu'il ne se soit pas aperçu que ce livre qui se voulait *immémorial*, venait à la suite de l'autre et en était en quelque sorte le terme et le couronnement. On peut s'étonner qu'il ne se soit pas souvenu que l'image de la chambre vide était déjà un des thèmes du livre précédent.

Une chose tendrait à prouver qu'il était, au moins intuitivement, conscient de cette unité, c'est qu'il n'a pas détruit à mesure ce qu'il écrivait, geste qui aurait eu une autre portée que de livrer aux flammes l'exemplaire d'une œuvre qu'il ne pouvait déjà plus supprimer. Il n'a pas détruit *l'Immémorial*, a commencé à réviser son texte, puis, ayant réussi à dénicher une vieille *Remington*, s'est mis à le taper comme n'importe quel auteur sûr de son fait.

Cette étrange certitude, c'est moins de lui-même qu'il la tirait — de cette anxiété qui avait toujours arrêté sa main en milieu de page — que, paradoxalement, de l'extraordinaire succès de l'ouvrage publié sous le nom d'Atarasso. Si *l'Immémorial* a représenté à ce moment pour Géro la vérité souveraine et irrécusable opposée au mensonge, à la supercherie, à la fabrication la plus éhontée de l'histoire des lettres, cette vérité, il faut bien le dire, n'a pu naître en lui, trouver sa force et son expression que sur le terrain du mensonge, comme si ces deux termes ne pouvaient qu'effacer leurs contrastes au sein d'une aventure unique et finalement négligeable.

Un matin, Nantucket s'est réveillé sous la neige et Géro a frappé le point final. Quatre mois plus tôt il avait débarqué dans l'île comme un homme traqué qui cherche un refuge où on ne viendra pas le tracasser. Il avait réussi à harponner ce beau squale et par planter sur lui son drapeau et sa marque. Dans sa sacoche thibétaine le manuscrit de *l'Immémorial* remplaçait l'exemplaire détruit de *Description d'un Empire terrestre*. Dans le car qui le ramenait à New York il a dû se sentir un autre homme — persuadé cette fois, et non moins naïvement, qu'aucune vérité ne passe par le scandale, mais par une preuve qui a fait son chemin et s'impose d'elle-même. C'est de cette vérité-là qu'il était porteur. Qui pourrait refuser de la reconnaître ?

De Port Authority il s'est rendu directement dans une agence de voyages. D'où lui venait l'argent ? De l'oncle Gast qu'il n'avait pas hésité à taper, renouant avec de vieilles habitudes et sans éprouver plus de gêne que Niki quand, de Capri ou d'Estoril, elle envoyait à celui-ci un S.O.S. Gast n'a pas dû demander à Géro plus d'explications qu'il n'en exigeait autrefois de sa sœur. Il venait d'avoir une seconde attaque, et se jugeant cette fois au bout du rouleau, avait pris certaines dispositions testamentaires : il léguait sa fortune et sa maison à une institution « for crippled children », à charge pour celle-ci de réserver « à son neveu Géro et jusqu'à la fin de sa vie la chambre qu'il occupait quand il était enfant ». C'est le seul texte officiel ou privé où Gast lui ait jamais reconnu cette qualité de neveu. Géro a-t-il profité de cette invitation? Est-ce dans cette direction qu'il est reparti quand il m'a filé sous le nez dans cette gare?

Mais pour le moment il s'embarquait une dernière fois vers l'Europe, son manuscrit sous le bras, avec le même espoir, illuminé des mêmes certitudes que les premiers apôtres s'embarquant à Séleucie pour apporter au monde leur message de vérité et de bonheur. Cinq jours plus tard il arrivait à Cherbourg.

J'ai horreur des temps morts. Je n'aime pas non plus me trouver dans l'obligation de raser les murs et d'éviter tout contact. De plus, sous ce déluge, ce pays était à peu près méconnaissable : plaines inondées, rivières en crue, ponts emportés, musées qu'on déménageait à la hâte, un véritable désastre. Mais tout se passait comme prévu. A Gênes, où j'étais parvenu par petites étapes (Menton, Impéria, Savone), une lettre m'attendait au bureau de l'*Albergo Savoia*. Cesare Arditi acceptait de me recevoir à Turin, reportant notre rendez-vous à huitaine; il s'excusait de ne pouvoir être présent à la date fixée par lui précédemment : il ne rentrerait de Francfort que le matin même du jour où nous devions nous rencontrer dans la soirée. Mais j'avais tout lieu d'être satisfait : les choses s'engageaient bien. Le scandale avait fait long feu; mais une guerre entre éditeurs, comment n'avais-je pas pensé à cela plus tôt? Sans savoir encore de quel genre de bombe j'étais porteur, il avait tout de suite flairé la grosse affaire. Furieux d'avoir vu le manuscrit d'Atarasso lui passer sous le nez, l'éditeur de Turin pensait bien estocader d'une façon ou d'une autre l'éditeur de Milan qui avait emporté le morceau. Pour cela il ne fallait pas que l'affaire fût éventée. Dès sa première lettre il m'avait conseillé de ne voir personne avant la date de notre entrevue. L'avertissement restait valable. J'étais décidé cette fois à me montrer prudent, c'est-à-dire à ne pas me montrer. Je ne désirais qu'une seule chose d'ailleurs : rester en dehors de tout ça, remettre à Arditi mes deux cent vingt pages dactylographiées puis disparaître. A lui de tirer tout le parti possible de l'aubaine, et le vieux palermitain ne s'en priverait pas. Je les laisserais se déchirer, régler entre eux leur *vendetta*, engager procès sur procès. Bien que, comme le premier, le manuscrit fût écrit en français, il n'y avait pas un seul éditeur à Paris ou en Suisse pour s'embarquer dans une histoire aussi ténébreuse, aussi embrouillée, aussi grevée au départ, et qui allait engager tant de polémiques, tant de procédures diverses qu'une vie d'homme ne suffirait pas à en voir la fin. En vérité pour que ce règlement prît tout son sens — même si hélas le résultat devait en être une sorte d'exécution rituelle d'Atarasso — ce règlement devait avoir lieu dans le pays même où cette machination s'était nouée initialement. Le lancement du livre devrait se faire en Italie, et, comme pour le précédent, directement en trois langues. Seul Arditi avait les épaules assez solides pour mener ce combat et ne pas se laisser envoyer dans les cordes. J'étais assez vain d'avoir eu l'idée de m'adresser à lui. Il n'y a pas de gens plus intelligents que ces Siciliens. Pour l'appâter je n'avais eu qu'à lui écrire que j'avais quelque chose à lui communiquer : il avait tout de suite compris. Ne faisant pas partie du « gang Atarasso », il ne demandait qu'à rentrer dans la compétition.

Il voyait juste, d'ailleurs, en me disant de ne m'aboucher avec qui que ce fût. Même mes amis — si j'en avais encore — ne pouvaient que me desservir par leurs bavardages et leur zèle tardif. Les pires, c'étaient ceux qui se lanceraient à ma recherche dès qu'ils sauraient que j'étais dans les parages : impossible de leur tourner le dos ou de les laisser en haleine. Mais où aller pendant ces huit jours? A Rome, les pierres elles-mêmes me reconnaissaient. A Milan, je ne ferais pas trois pas. Je serais tout de suite arrêté par l'un ou par l'autre. Après quoi la meute ne me lâcherait plus. J'en avais trop dit ou pas assez. Je n'étais pas revenu là pour tomber dans leurs pattes ni pour me faire photographier devant le Dôme ou Piazza Navone; je n'étais pas revenu pour donner des interviews et des conférences de presse, ou distribuer des autographes si j'étais reconnu dans un café ou à la sortie d'un cinéma. C'était bien ça le danger. Le conseil de Cesare Arditi rejoignait exactement l'idée que je m'étais faite de la marche à suivre. Autant j'avais joué jusque-là à découvert, autant il m'apparaissait nécessaire de bien calculer mes coups, sans signaler ma présence ni laisser deviner mes intentions, surtout à ceux qui en se retournant trop brusquement en ma faveur risqueraient de mouiller la mèche. Le même effet de surprise qui avait joué contre moi, à moi de l'utiliser contre ces fauteurs clandestins qui avaient cru rendre les choses irréversibles et avaient refermé sur moi cette trappe. Le respect de la chose écrite! A moi de leur retourner ce genre d'argument. Mais cette fois je ne me présentais pas les mains vides. Le respect de la vérité est plus important que celui de la chose écrite. Et ils allaient s'en apercevoir. On peut n'avoir aucun souci de sa réputation personnelle et garder intact ce genre de précepte, de naïveté verbale — et qui ne résisterait à aucun examen — ces fétichismes. Je me sentais merveilleusement détaché des conséquences de cette publication : un second manuscrit de la même main venant révéler après coup une naissance frauduleuse et qui avait bien dû paraître suspecte à plus d'un!

Mais une fois de plus, tout a tourné autrement. Je pique cette épingle votive dans le mur des offrandes et je constate que la parenthèse s'est refermée d'elle-même, sur un choix qui ne pouvait être différent.

Une semaine, c'était beaucoup à tirer dans un pays où je pouvais à chaque instant tomber sur des gens qu'il était préférable pour moi de ne pas voir surgir. Que faire pendant tout ce temps au milieu de ces inondations? Trop de fois, partant dans une direction donnée, avec un but précis, je m'étais laissé détourner de mon projet initial, me retrouvant à l'opposé, souvent même dans un autre pays. Néanmoins, comme tous les gens qui ont passé leur existence à courir d'un point à un autre et à se laisser improviser par le hasard, j'avais, ainsi que je l'ai dit, horreur de ces temps morts et de n'avoir devant moi aucun but immédiat. Et l'Italie sous ces trombes d'eau glacée, cet exode de populations obligées d'abandonner leurs maisons, avec ces routes coupées ou transformées en canaux sur lesquels le courant entraînait des barques chargées de matelas et d'animaux domestiques, ne me permettait guère de partir au hasard et de trouver refuge dans un village transformé en cité lacustre ou devenu inaccessible dans la montagne à cause des chemins changés en torrents.

J'ai tout de même quitté Gênes, et grâce aux hasards de l'auto-stop, je me suis retrouvé le lendemain matin à Vérone, à l'entrée de l'*autostrada* Milan-Venise, une fois de plus sur le bas-côté. C'est là que tout s'est décidé. Le capuchon de mon anorak me rendait méconnaissable; la pluie qui me cinglait de tous côtés finissait par rentrer dans mes bottes de caoutchouc; silhouette plutôt misérable. Autant dire que j'attendais là depuis plus d'une heure et que la position n'était pas idéale; on ne voyait pas à cent mètres et la circulation était presque nulle. Un camion a fini par s'arrêter. J'étais si certain que nous roulions vers Milan — mon intention était de gagner ensuite Cunéo ou Aoste, où je courrais peu de risque de me faire harponner par l'un ou par l'autre, et où je pourrais attendre en toute sécurité le jour fixé par Cesare Arditi — que ce n'est qu'en apercevant à travers la buée de la vitre la plaque indiquant la sortie de Vicence que j'ai compris que nous roulions en sens inverse. Cela a bien fait rire le jeune gars qui était au volant. Il allait décharger à Mestre et rentrerait à Milan le lendemain soir; si ça m'arrangeait il m'offrait de me ramener. « Vous êtes pressé? Votre femme ne va pas accoucher aujourd'hui! Vingt-quatre heures de plus ou de moins! » Il s'était rangé sur une voie de dégagement pour me donner le temps de me décider et achever l'histoire qu'il me racontait. « *Andiamo !* » J'ai fait un geste pour lui dire de continuer. « Va bene ! Va bene !... demain je vous ramène. » J'ai accepté une de ses *Nazionale*. Nous étions tout à fait copains. « Americano ? » Une réponse négative l'eût vraiment déçu. Il avait un oncle à Montréal, une tante à Cincinnatti, je ne sais plus qui encore à Brooklyn... L'Amérique, pour lui, ça ne sortait pas de la famille ; les siens y avaient réussi — du moins il le croyait. En m'abandonnant à l'entrée du pont de Mestre, il m'a indiqué avec précision l'endroit où je pourrais le retrouver le lendemain et m'a dit bonne chance. Dans son idée c'était me souhaiter de passer entre les gouttes et de trouver un endroit pour passer la nuit au sec.

J'aurais dû rester à Mestre, ne pas m'engager sur ce pont. Mais savoir quand je le franchirais de nouveau ! Sans doute jamais, puisque j'étais décidé à repartir dès que j'aurais rencontré Arditi. Je ne voulais pas être sur place quand la critique commencerait à s'empoigner et à me traîner sur les claies. Ce serait le moment pour moi de me mettre des boules dans les oreilles et de changer de nom ; le moment de chercher un emploi de pompiste ou de laitier, dans un coin perdu des Rocheuses. D'avance, je me racontais mon petit *western* : un refuge tout bucolique, une cabane en rondins, une rivière à castors, quelque part (je me donnais du large) entre Santa Fe et le tombeau de Buffalo Bill. En somme, le coin tranquille que mérite tout homme qui a bien servi la vérité, a fait son devoir selon sa conscience.

Tout de même ça me fichait un drôle de cafard de penser que j'allais devoir passer là vingt-quatre heures à errer sous la pluie et à m'envoyer de temps à autre un *expresso*, en guise de consolation et pour me mettre au sec les rotules. Oui ça me peinait salement de penser que la dernière image que je garderais de Venise c'était cet affreux paysage avec ces fumées, ces usines, ces réservoirs, ces jets de flammes lapant des nuages crasseux en bordure de la lagune.

Il ne fallait quand même pas exagérer : je n'avais pas une pancarte accrochée dans le dos. Mon entrée dans Venise n'allait pas déclencher les sirènes de l'alerte. Toute cette histoire m'avait rendu idiot depuis le début : je n'allais pas me mettre à trembler comme un lièvre ou attraper une jaunisse. Et puis j'avais l'estomac dans les talons et je connaissais dix endroits où pour trois cents lires un type qui ne craint pas de se frotter à des cloches peut se remplir de lasagnes et de spaghetti. Pour bien me persuader que je ne risquais rien en allant jusqu'au bout de ce pont où je voyais courir devant moi les rafales et où j'étais presque le seul ce jour-là à marcher ainsi sous la sauce, j'avais chaussé de grosses lunettes cerclées de caoutchouc, comme avant de descendre en plongée. Une demi-heure plus tard j'étais sur le *vaporetto*. Un bon trajet avant de mettre le pied sur le débarcadère devant le *Harry's Bar*. Niki y avait perdu un talon. Il devait bien y avoir trente ans de cela.

J'ai commencé à circuler dans les ruelles. Vitrines éclairées (pourquoi y mettent-ils tant de choses ?) mais boutiques vides. Pas de clients, pas de touristes. A force de n'apercevoir que des parapluies, des dizaines et des dizaines de parapluies, mais pas de visages, j'ai fini par me sentir tout à fait rassuré. Sous ce déluge qui enfonçait la cité en-dessous de sa ligne normale de flottaison, au milieu de tous ces gens empaquetés dans leurs cirés transparents, pain brûlé, feuille morte, leurs vestes de terre-neuviens, sous des bâches, des ponchos ruisselants, uniquement attentifs à ne pas glisser dans une flaque ou sur un zeste de citron, à éviter de s'éborgner dans une collision, je ne risquais pas d'être reconnu et de m'entendre héler. Certains, chargés de paquets, avaient l'air de porteurs traversant un marigot sous un feu nourri faisant des ricochets sur la surface. D'autres, exigeant le passage d'un « prego ! prego ! » impérieux et rapide, mais sans relever la visière ou le parapluie, poussaient parfois le même cri que les gondoliers avant d'aborder un croisement de canaux.

Cette colonie de cloportes pris de panique me faisait presque oublier l'autre race, cette étrange féodalité locale de *commendatori*, de nobles embossés derrière leurs jalousies moresques, de vieilles maquerelles cliquetantes saluées comme des fées, d'esthètes internationaux prolongeant une race éteinte, de jeunes artistes boursiers qui en attendant que le génie leur vienne se déchirent entre eux, de parleurs frénétiques... Ce temps de chien rendait à la ville ses masques, son agitation anonyme. Mais l'écrin du *Florian* était vide. Pas un consommateur. Une partie de la place était dans l'eau, et on la traversait sur des planches. J'ai continué ma promenade. Je suis entré dans quelques églises, galeries de mine où brillaient ici et là des pépites. Enfin, fatigué de longer ces murs poisseux, et après m'être arrêté dans une trattoria, je suis allé dormir dans un petit hôtel.

Se réveiller à Venise!... La pluie n'avait pas cessé. Mes vêtements restaient humides. Encore un jour où je n'entendrais parler que de désastre et de déluge! Quand je suis descendu pour payer, la fille qui servait au comptoir m'a montré un oiseau que la tempête avait rabattu sur l'auvent et qu'elle avait recueilli au fond d'une corbeille en raphia. « A ce soir, peut-être! » m'a-t-elle dit, en me rendant la monnaie.

Il devait être vers les onze heures, mais les *calli*, les *campi*, transformés en piscines, étaient encore déserts. J'ai recommencé à errer dans la *Merceria;* aucun étranger ne léchait les devantures. J'étais venu des dizaines de fois à Venise; j'y avais même travaillé — passant près de trois semaines sur un échafaudage mobile à la *Scuola di San Rocco* à photographier les plafonds — mais c'était la première fois que je m'y trouvais seul et comme en quarantaine. D'une certaine façon rien n'est pire que de ne pouvoir s'y présenter à visage découvert alors qu'on peut à tout instant tomber sur quelqu'un qui, après vous avoir pris par le bras, vous livre d'emblée les derniers potins. Rien n'était pire pour moi ce matin-là que d'être à Venise en étranger et sans savoir à quoi employer ma journée, les lieux trop fréquentés m'étant pratiquement interdits. Cela me semblait humiliant de transporter là ce même regard vide des péquenots ahuris venus en d'autres saisons en voyage organisé, exténués à l'idée de toutes ces choses à voir dont on les menace, cherchant à rompre les rangs et à se défiler.

Je n'arrivais pas à me sortir de la tête cet oiseau : un présage pas trop flambant, si l'on croit aux présages. Cela me rappelait quelque chose qui s'était passé à Grasse, je crois. Je devais avoir une dizaine d'années. Moi aussi j'avais trouvé un oiseau tombé sur le gravier; nous l'avions recueilli. Peut-être à tort, au lieu de laisser le drame se consommer. En essayant de le sauver, en faisant intervenir notre sensiblerie dans ce domaine clos régi par une loi implacable qui faisait de lui une proie pour les chats « et autres vermines » (Niki dixit), nous troublions plutôt l'ordre des choses. Puisque nous prétendions le soustraire à cette nécessité notre dépendance envers lui s'affirmait. Niki était devenue son infirmière. Peu à peu il s'habituait à sa nouvelle condition de malade pris en charge par la communauté. Il se dorlotait entre nos doigts, paré de cette existence autonome que lui communiquait notre pitié. Parfois il se rappelait à notre attention en battant de l'aile et en poussant des piaillements stridents. J'éprouvais un vague dégoût devant ces brèves épilepsies. Nous le prolongions inutilement. Notre impuissance à le guérir faisait de lui notre victime. Au fond nous ne savions qu'en faire. Mais c'est surtout quand il s'est avisé de mourir que la question s'est posée : après tant de soins, nous nous sommes sentis tenus de lui donner une sépulture décente... sous un oranger. Que dire de la mort d'un oiseau?...

Venise, ce matin-là, ne m'aidait guère à chasser cette image. Je ne lui avais jamais connu un aspect aussi maussade, aussi délavé. Trahi dans mon amour comme un homme qui se réveille trop tôt auprès d'une vieille maîtresse. Mais en même temps pris au piège. Avec ses chevaux, dédorés dès que le soleil est absent, la basilique orientale ressemblait à un de ces manèges de montagnes russes qu'on voyait dans les miraculeuses foires de mon enfance, et on ne se fût pas étonné qu'un énorme limonaire, installé sous le porche central, se mît en action.

Décidément, j'aurais mieux fait de passer la nuit aux abords de Mestre, et peut-être, en attendant l'heure fixée par le routier, de pousser une pointe jusqu'à Padoue. Au fait, j'en avais le temps. Sous les rafales qui continuaient de balayer la place, je me suis donc dirigé vers la *piazzetta*, décidé à prendre le premier *vaporetto* à l'appontement de Saint-Marc. En tournant la tête du côté de la *Porte de la Carte* et de l'escalier des géants j'ai reconnu le bloc de pierre rose pris dans l'angle du bâtiment, ce *gruppo dei Mori* dont l'orgueil de la Sérénissime Dominante avait fait une figure de proue alors que Rome se contentait de collecter les obélisques et les symboles impériaux. Mais à l'entrée de ce triste théâtre à ciel ouvert ce groupe de rois barbares n'offrait plus sous cette rincée que l'image d'enfants cherchant à se protéger de la pluie et se serrant les uns contre les autres en essayant de ramener sur leurs épaules leurs manteaux. Dans le soubassement, ces statues prenaient un autre sens que celui qui leur avait été appliqué si longtemps quand elles avaient été placées là pour rappeler que Venise était la porte de l'Orient. Je me suis souvenu tout à coup de ces pages que dans ses carnets Atarasso consacrait à son enfance dans cette ville, dans le quartier de San Simeon où son père, né à Smyrne, réparait les pendules. Sa vocation ne s'était pas éveillée en regardant celui-ci emprisonner le temps dans ces mécanismes fatigués, ou en l'entendant parler du vilayet d'Izmir et de Mytilène, mais ici même, sur cette place, devant ce groupe, ces métopes, ces bouts de frises ou d'entablements, ces rinceaux, qui cimentés eux aussi dans le mur avaient représenté le premier rassemblement de ces dépouilles à l'orée des temps modernes. « Sans doute suis-je le dernier à Venise, avait-il noté, à qui ces guerriers ou ces rois aient ouvert le chemin de l'Orient. Quels étaient-ils ces chevaliers épaulés dans l'adversité, réunissant leurs regards pour constater l'impuissance des dieux, gardant leur main fermée sur le pommeau du glaive ? Des Mèdes, des Parthes, des Scythes ? Je l'ignorais à l'époque ; comme j'ignorais quelles avaient été les rigueurs de leur destinée, les combats qu'ils avaient livrés. Peu m'importait qu'ils eussent été ramenés de beaucoup moins loin que je ne le supposais... »

Cette rencontre avec ces « vaincus » avait marqué toute sa vie. Atarasso l'affirmait. Pourquoi n'avais-je pas conservé cette page, une des meilleures, une des plus émouvantes, en la citant au besoin ? Instant de vérité dans une existence assez magistralement menée, mais sur laquelle la vérité dont moi j'étais porteur allait jeter le discrédit.

Si les choses avaient commencé pour Andréas Italo devant ce groupe, le terme, l'aboutissement de sa vie et ses travaux c'était désormais cette Fondation, laquelle éveillerait sans doute d'autres vocations. Cela aussi avait un sens. Comment ne pas en prendre conscience ?

J'allais lui porter un coup, un coup terrible : je lui devais bien cette sorte d'hommage, cette réparation. Si je quittais Venise sans avoir parcouru ces salles, regardé ces objets qui m'avaient si longtemps fasciné, près desquels j'étais passé si souvent la nuit, alors qu'ils étaient enfermés dans des caisses, je me le reprocherais plus tard, je me sentirais ridicule. Tout d'un coup ma décision a été prise : rien n'aurait pu me détourner de cette visite. Étais-je venu dans un autre but ? Enchaînement trop prévisible, liant la fin au commencement.

La suite ne l'est guère moins. Une fois de plus, circulant au fond de cette sape et apercevant une faille, je me glissais dans l'interstice. J'étais repris, entraîné dans cette étrange spéléologie, plongeant vers « ces mondes enfouis où nous allons à la rencontre de nous-mêmes ».

Je suis arrivé à la Fondation Atarasso, trempé comme si j'avais traversé le canal à la nage. Une fois franchi le seuil, c'était tout de suite un autre monde. Une clarté diffusée par le plafond en demi-coupole, se reflétant sur les grandes dalles noires et brillantes, nimbe et détache de la paroi circulaire quelques pièces monumentales qui, grâce à la distance ainsi créée et au faisceau lumineux qui les isole, semblent apparaître sur fond de nuit. Ce vestibule fait penser à un planétarium où des bas-reliefs de basalte ou de briques polychromes — guerriers élamites, Sargon portant un bouquetin, tributaires Mèdes, taureaux ailés... — figureraient les constellations. Dans l'axe de l'entrée, un souverain parthe, épervier au frontal, moustache aux pointes relevées, avant-bras replié, dresse la même main rédemptrice qu'un Christ en majesté, tandis qu'au bas de l'escalier deux jeunes gens palmyréniens, cheveux flottants, ont l'air de *hippies*.

Je maculais le dallage avec cette eau qui s'égouttait de moi; je suis revenu sur mes pas pour accrocher au vestiaire mon sac et mon anorak; pas d'autre imperméable pendu : j'étais le seul visiteur. J'ai dû chausser également, à la place de mes bottes, une paire de patins de feutre, comme à l'entrée de certaines mosquées au pavage précieux. Je me suis retrouvé en chandail à col roulé, libre de mes mouvements pour parcourir le musée.

Même pénombre dans les salles du bas, alors que les objets présentés baignent dans une lumière un peu irréelle et que les sculptures semblent sortir du mur comme des apparitions, blanches ou noires.

Au premier étage plusieurs pièces ont conservé leurs plafonds à caissons et quelques peintures; la galerie garde ses hautes fenêtres, son balcon à arcades lancéolées au-dessus du Canal.

Un jour des plus pauvres traversait ces verrières; mais à l'intérieur des réflecteurs dirigeaient la lumière vers les parties hautes, caressant les ors, le détail des frises, comme lorsqu'au crépuscule seuls les sommets sont encore éclairés. Les vitrines semblaient également émerger de l'obscurité. J'étais bien en effet le seul ce jour-là à passer devant elles et à m'intéresser à ce qu'on peut y voir : idoles anatoliennes, bronzes du Louristan, petits chars sumériens, art des steppes, mains votives, pelles sacrificielles...

Le choix de Venise pour présenter ces collections pourra paraître inattendu. Peut-être le musée ne sera-t-il que très peu fréquenté par des touristes qui préféreront s'en tenir à Carpaccio et à Véronèse. Dans le cadre d'une ville où tout est spectacle, ces arts magiques, ces formes souvent rudes, risquent de rester indéchiffrables. Sans doute ne viendra-t-il jamais là que des spécialistes intéressés par un ou deux objets qu'ils savent uniques.

En pensant qu'Atarasso ne s'était pas contenté de regarder ces mondes sortir lentement de la nuit, mais avait consacré son existence entière et sa fortune à collecter ce prodigieux butin j'éprouvais un peu de mélancolie en traversant ces grandes salles désertes. Pourtant, c'était bien cela qu'il avait voulu : non pas drainer de ce côté les foules de l'*Accademia*, mais créer un lieu privilégié, très loin des emballements et des curiosités habituelles. Ainsi léguait-il l'essentiel de lui-même, en marge de toute cette agitation artificiellement provoquée autour de son nom, l'essentiel de lui-même et de sa recherche, donnant à quelques autres l'envie ou la possibilité de continuer. Tout le reste était sa légende; mais la vérité de l'homme était là. Si d'autres découvertes venaient par la suite amoindrir ou nier son apport personnel, l'aventure tracée par lui pendant un demi-siècle à travers tant de civilisations retrouvées survivrait à son effacement.

En somme, rien ne ressemblait moins à un monument élevé à sa gloire que ce musée où, dans les parties ouvertes au public, on chercherait en vain une photographie, un buste du donateur, une plaque rappelant son geste. Cet homme qui, vivant, m'avait toujours paru tellement impressionnant, tellement inaccessible, ici semblait disparaître derrière la grande réalisation de sa vie : il était devenu son œuvre même, et il ne restait de lui qu'une ombre familière avec laquelle j'aurais pu dialoguer librement.

Le cabinet des médailles était au second étage. Cette passion qui l'avait entraîné dans sa quête de collectionneur bien au-delà des limites géographiques ou historiques qu'il s'était fixées dans ses recherches, me le rendait proche également — passion que le monde actuel semble avoir tout à fait oubliée. Langage mystérieux endormi dans la matité, la transparence ou le poli des matières rares, leurs veinures, ou leurs étranges colorations. Toute sa vie il avait poursuivi ces gemmes, ces intailles, ces minuscules portraits qui pour des regards exercés réunissent l'observation la plus véridique à une sorte de sens féerique de la durée.

Je retrouvais mon excitation d'autrefois. En me penchant au-dessus de ces vitrines j'avais l'impression de voir briller ces pièces insignes au fond d'un lac noir dont il m'eût été interdit d'effleurer la surface. Quelle main d'ailleurs eût pu les atteindre, elles qu'aucune main n'avait pu retenir? Combien d'heures avais-je passées à essayer de lire ces profils détachés du temps, à caresser du regard ces merveilleuses et bizarres inventions de l'art et de la nature unies dans une sorte de création magique!

Or soudain s'est produit le même phénomène dont j'avais été témoin dix ou onze ans plus tôt. Quittant le lit sur lequel ils avaient été déposés, ces signes porteurs d'un message oublié remontaient vers la surface. On eût dit d'une pluie d'or se détachant du fond d'un aquarium. Ils revêtaient la même apparence, fixe et fluide, dont le reflet avait déjà, dans des circonstances presque identiques, retenu mon attention. ELLE... je l'ai aussitôt reconnue. Non pas comme lorsque j'apercevais au bout du chemin de ronde sa mince silhouette découpée sur le ciel nocturne, mais telle que je l'avais aperçue la première fois, parée de ces mêmes dépouilles qui, plaquées sur elle, formaient de lourds colliers, des pendentifs, une sorte de bandeau royal. Cette fois-ci je voyais également mon reflet sur cette glace, mon propre visage penché à côté du sien, pris dans le même mouvement ascendant, inscrit dans le même cercle de présages. Tout était si lié dans les circonstances qui nous ramenaient de nouveau l'un vers l'autre que son nom s'étouffait dans ma gorge et que le cri de colère que j'avais cru pouvoir porter jusque-là, les reproches violents si longtemps emmagasinés pour une rencontre si improbable, maintenant ne pouvaient s'échapper vers elle. Nous restions là sans rien dire, comme si accoudés sur un parapet nous regardions des carpes dans un étang. Puis elle a fait un geste; j'ai vu sa main s'avancer pour me désigner, au centre de la vitrine, une figurine du Jupiter héliopolitain taillée dans un énorme grenat presque noir. Et j'en connaissais la provenance et je savais aussi — par elle — que son père l'avait toujours gardée auprès de lui, qu'il ne s'en séparait jamais dans aucun de ses déplacements, qu'elle représentait pour lui une sorte de signe faste. Elle m'a désigné ensuite un autre objet, une coupe d'onyx au fond de laquelle avait été fixé un petit buste votif de la Faustine divinisée, frappant la vitre du doigt pour m'obliger à lire la courte annotation qui, placée à l'angle de la vitrine, correspondait à la pièce en question. Dans cette collection, c'était certainement une des plus tardives, et je m'étonnais qu'elle lui accordât une attention particulière, Mais c'était peut-être le personnage de cette femme, d'abord décriée, plus tard saluée pour ses vertus, qui l'intéressait et qu'elle désirait me remettre en mémoire. La phrase fameuse était citée : « J'aimerais mieux vivre avec elle sur les routes de Gyare, que sans elle dans un palais! »

— Qu'est-ce que c'était Gyare? lui ai-je demandé un peu plus tard.

— Gyaros! Une île des cyclades où l'on déportait les gens... quelque chose comme les îles Lipari sous Mussolini.

C'est comme cela que les choses se sont passées.

C'est ainsi du moins que Géro prétendait avoir retrouvé Sandra. Je me demande souvent s'il n'a pas rêvé cette épiphanie en la situant au cœur de ce sanctuaire, entre la fascination et le mirage.

La rencontre — puisqu'il faut bien admettre qu'elle a eu lieu — peut s'être produite dans un autre endroit, des circonstances toutes différentes — moins *parlantes*, si l'on m'accorde l'expression — près du Rialto ou sur le pont de l'Académie, dans un de ces passages couverts où les gens se bousculent sans cesse et se dévisagent dans la pénombre, partagés en deux files allant en sens inverse, tous deux s'étant trouvés brusquement l'un en face de l'autre en lisière de ces deux courants opposés qui établissent une continuelle circulation intérieure entre les divers *sestieri*. Encore peut-on imaginer que la chose a pu se produire ailleurs, par exemple dans une église où ils seraient entrés au même moment pour s'abriter; peut-être devant la *Présentation de la Vierge* à la *Madonna dell'Orto*, où Géro, avant de prendre congé de Venise — il y venait pour la dernière fois — serait allé saluer les restes de l'artiste qui l'incarnait le mieux à ses yeux : Jacopo Robusti.

Il est possible aussi qu'il ait provoqué volontairement cette rencontre en apprenant à la Fondation que la fille du maître y venait chaque jour, et que, désirant garder un lien avec celle-ci, elle s'occupait de la bibliothèque et de la photothèque.

Que sa colère n'ait pas éclaté aussitôt, qu'il ne se soit pas répandu en reproches véhéments, en menaces de représailles immédiates, ameutant les gardiens et le personnel, exigeant de Sandra des explications, comme n'importe qui l'eût fait à sa place, tout cela serait de nature à rendre suspecte la version qu'il entendait après coup donner de l'événement.

Ainsi restait-il fidèle à la règle de prudence qu'on lui demandait d'observer. Il ne se présentait là ni en ennemi déclaré, ni en justicier, ni comme un malheureux dépossédé de ses biens qui, alors qu'on le croyait définitivement disparu, reparaît après une longue odyssée, prêt à soutenir ses droits. Géro pensait que Cesare Arditi était de taille à se débrouiller seul, et que même il ne ferait que le gêner dans son action s'il prétendait y participer. Tout était arrêté ainsi : la vérité des dieux était en marche. Ainsi ce silence répondait-il chez lui à une autre lecture de l'événement : comme si cet événement eût dû de toute façon se produire, comme si lui Géro n'était revenu là que pour ça; enfin comme si le hasard qui les avait associés, liés dans cette aventure sans précédent ne pouvait que les remettre une fois de plus en présence. Il y avait pour lui deux plans distincts : celui où il situait cette revendication qu'il désirait voir aboutir au plus tôt; celui où il continuait de buter sur cette énigme. Et à ce niveau-là rien n'était encore résolu de façon définitive. Quelque chose était intervenu dans son existence qui en avait changé le sens, et il ne pouvait l'oublier ni en minimiser la portée. Si l'on s'attachait à considérer les faits et les intérêts de chacun, ceux-ci, en dehors d'un préjudice véritablement stupéfiant — bien que difficilement appréciable — laissaient subsister entre lui et Sandra la même complicité qu'autrefois, et cette complicité créait à nouveau entre eux les conditions qui avaient rendu possible cette immédiate et totale reconnaissance. Toutefois ce silence ne faisait que renvoyer l'explication. S'ils se quittaient ainsi dans le vestibule, après avoir refait ensemble le tour des salles, mais sans s'être parlé, Géro ignorerait toujours pour le compte de qui en définitive Sandra avait agi. N'allait-il pas être le seul, l'unique bénéficiaire de toute cette machination montée par elle? Il ignorerait toujours la nature exacte du message qu'elle avait essayé de lui transmettre. Le manuscrit, une fois publié, lui vaudrait peut-être une vague réparation, un vague bénéfice moral, mais pour lui cette satisfaction — voir son nom à la place de celui d'un autre — resterait aussi ambiguë, problématique, voire usurpée, que cette renommée posthume accordée à un homme pour un livre qu'il n'avait pas écrit. Et pourtant savoir cela, savoir pourquoi Sandra avait couru de tels risques, était bien l'aboutissement de cette quête, terme à partir duquel tout redeviendrait clair, évident, nécessaire depuis le début.

Ils avaient quitté ensemble la Fondation, Sandra ouvrant un amusant pépin fait de grandes élytres transparentes qui avait l'air d'une de ces fleurs qui n'apparaissent sur les nymphées des jardins botaniques qu'une fois par siècle, mais sous lequel Géro avait refusé de s'abriter.

Et tout de suite ils s'étaient retrouvés à leur pas, comme à la fin de leurs équipées nocturnes, quand le matin allait les séparer et qu'une lassitude soudaine ou le regret de ne pouvoir regarder ensemble sur les collines environnantes les grives voler au ras des buissons et à la bouche des fusils des chasseurs, ralentissait leur retour vers le castello.

Pour la première fois, la pluie les accompagnait. Des mondes peut-être les séparaient, de fantastiques procédures qui allaient occuper plusieurs décennies, mais ils ne pouvaient s'empêcher de se reconnaître et de s'épier mutuellement. Il la dépassait toujours d'une tête. Malgré le long ciré maxi à larges revers qui battait les talons de Sandra et dont le mouvement de ses jambes chassait les pans devant elle, sa silhouette restait la même, trahissant une sorte d'impatience. Ils ne s'étaient fixé aucun but. L'idée qu'elle pouvait le planter là, lui annoncer qu'elle était attendue, ne lui venait même pas. Cette partie qui leur restait à jouer, peut-être devraient-ils la jouer l'un contre l'autre, cruellement et sans merci, mais en tout cas ensemble. Cette certitude le retenait étrangement. Et tout autant l'accord maintenu entre eux, révélé par la marche, le mouvement, faisant apparaître une sorte de parallélisme, d'interdépendance, ainsi que cette volonté de posséder l'autre et de ne pas le laisser échapper. Deux complices, oui, mais qui ayant un vieux compte à solder se donnent tout le temps pour arriver au règlement final.

C'était drôle, vraiment, de la revoir ainsi déguisée, elle la fille glorieuse, abusive, qui pour parvenir à ses fins avait construit cet extravagant scénario. L'étrange chapeau à haute calotte et à larges bords, de la même matière imperméable et brillante que la capote, crânement relevé sur le côté droit, lui donnait malgré l'abondance des mèches qui lui cachait une partie du visage un certain air Anzac, bersaglier, capitaine courageux. Géro ne pouvait s'empêcher de songer à ces jeunes travestis qui traversent les romans picaresques, mais dont une déchirure au pourpoint révèle tout à coup un sein d'une miraculeuse fermeté sous la pointe de l'épée qui va le transpercer. Le travesti ne faisait que suggérer plus insidieusement sa nature féminine sans parvenir à donner le change. Et puisque les modes le voulaient ainsi désormais, face à ces apparences quelque peu martiales, revenait à Géro le privilège des longs cheveux, des amulettes, et autres bizarres accessoires trahissant moins une adolescence prolongée que le refus de s'intégrer dans le siècle.

Comment le voyait-elle maintenant? Les traits tirés par

la fatigue de ce voyage précipité, ou au contraire mieux dessiné, et comme remodelé par le désir d'en savoir plus sur lui-même et de comprendre ce qu'il faisait en ce monde et pourquoi il y était à la fois si inutile et si nécessaire?

Mais sans doute était-il le seul à s'interroger, tandis qu'ils continuaient de circuler dans ces ruelles, de franchir presque d'une seule foulée ces ponts en dos d'âne, de longer ces canaux où de lourdes barges remplies de déblais, d'emballages, de cageots empêchaient les façades de refléter leur délabrement.

Que pouvait-il se passer à ce moment dans cette tête? Il ne se l'était jamais demandé autrefois, quand il la serrait contre lui, sans s'apercevoir que sa victoire l'enfermait dans une aventure qu'il ne pourrait jamais rompre, jamais effacer. Se l'était-il plus demandé quand le silence de ces vieux murs veillait autour d'eux, et que, cessant brusquement de se croire le maître, le dispensateur de cette jouissance, alors qu'il allait devoir l'échanger contre le sommeil et ensuite les mots, (ce fatidique essaim de mots qui lui permettraient d'attendre Sandra jusqu'au soir), il sentait monter en lui une anxiété, se réveiller, apaisée au fond de ses muscles, une vieille souffrance séculaire? Quels présages gardait en réserve cet étrange bonheur qui mettait entre eux et la réalité de telles distances, laissait en suspens une si large marge d'inquiétude? Sandra, à ses côtés, partageait-elle cette anxiété? Il allait devoir la réveiller. Le matin s'établissait dans des zones de ténèbres ponctuées de reflets et de déchirures blafardes. L'automne s'insinuait lentement jusqu'à eux. Un chant grisé, un long et vibrant appel, peut-être celui de quelque sirène aux portes de la fabrique, soufflant les dernières loupiotes dans l'arbre de la nuit. Comme les choses lui semblaient fragiles, hésitantes, inconnues! Au creux de son bras, cette plainte d'enfant éprouvé par une longue marche...

Ce qu'il y avait derrière ce front, au fond de ces yeux qui pouvaient tout exprimer sauf la candeur, l'étonnement —

et Sandra n'en marquait guère plus à ce moment que si elle fût allée l'attendre à l'arrivée du Simplon-Express — Géro croyait le savoir désormais : une obstination planifiée, tendue vers un seul but, mais aussi une cassure dans le système, une sorte d'allergie au réel qui lui masquait la conséquence de ses actes.

Les choses cette fois allaient se retourner contre elle. Ils cheminaient ainsi depuis plus d'une heure quand Sandra avait tiré de sa poche une clef et ouvert une porte, la seule au fond de cette impasse.

Un mur énorme, qui pourrait être celui d'un ancien arsenal, et derrière ce mur un minuscule jardin, ou plutôt une cour dallée avec au centre un bassin rectangulaire. La nuit est tombée. Géro aperçoit le crépi ocre d'une maison qu'on croirait construite au fond d'une citerne, tant elle paraît petite, coincée entre ces contreforts. Il est resté là un moment à côté du bassin, le temps de voir s'éclairer les fenêtres, quatre seulement, deux par étage.

Étrange que Sandra n'ait pas cherché quelque chose de plus grand, de mieux assorti au genre d'existence qui doit être la sienne, mondaine, certainement agitée. Quartier pauvre, surtout à l'abandon — pour autant qu'au cours de leur randonnée il ait regardé par où ils passaient et se soit demandé où ils allaient aboutir — en tout cas écarté. Il ne se souvenait pas d'être jamais venu errer de ce côté. Murs aveugles, entrepôts, souvent à demi effondrés. Curieuse fantaisie de la part d'une fille qui peut s'offrir une chambre à l'année au *Danieli*, passe ses journées dans ce musée-modèle, au milieu de ces richesses. Il l'entend aller et venir à l'intérieur et l'aperçoit de temps à autre derrière une des fenêtres. Elle ne lui a pas dit de venir s'abriter. Peut-être préfère-t-il continuer de se faire tremper afin de donner du champ à ses réflexions. Aucune pour le moment, même pas l'idée qu'il devrait être à Mestre, et même rouler déjà vers Milan. Pour lui l'imprévisible a fini par devenir une expérience un peu usée.

Lui non plus ne s'étonne pas d'être là. Il écoute le bruit d'un caboteur, et si proche tout à coup que cela semble indiquer qu'on est à côté du quai ; mais l'eau qui lui coule sur le visage chasse l'odeur de la lagune.

Il a fini par entrer. Du blanc, rien que du blanc. Une vive lumière. Des brindilles qui brûlent dans une cheminée. Moderne, dépouillé : ce sont les mots qui lui viennent à l'esprit. Sandra assise jambes croisées sur le tapis de haute laine — la pièce pourrait servir de cadre à des exercices de yoga, pense-t-il, mais sans ironie — les hanches et les jambes prises dans un collant, le haut du corps dans un énorme chandail à côtes ramené sans doute des sports d'hiver — elle doit aller de temps à autre dans les Dolomites. Elle avance les mains vers la flamme, geste qu'il lui voit faire pour la première fois. A part quelques coussins, une table basse, un électrophone et des disques étalés sur le tapis, une pièce à peu près vide. Rien d'autre qu'une boule de parchemin pour éclairer et l'ombre de Sandra dansant au-dessus d'elle.

Géro hésite à fouler ce tapis avec ses bottes de caoutchouc, mais il hésite également à se déchausser, à s'abandonner trop visiblement aux usages de la maison. « Vous pourriez vous défaire... il y a une chambre à côté... je couche en haut, nous ne nous gênerons pas... » Elle non plus n'y met aucune ironie. Elle lui dit cela comme à quelqu'un qui, venu à une saison où tous les hôtels affichent complet, n'a pas réussi à trouver un lit, et qu'elle accepte de loger. Elle ne s'est pas retournée ; elle continue à jouer avec la lumière ; mais cette invite constitue tout de même un défi. Tout de suite elle fixe un programme, un protocole, des conditions, comme lorsque, l'ayant ramené au castello après l'accident et après l'avoir installé avec l'aide de Grisha sous les combles, elle l'a averti qu'il devrait rester là dans la journée et qu'elle viendrait bavarder avec lui le soir. Et cette fois encore, soulignant une chose qu'il sait déjà : « Je passe tout mon temps à la Fondation. » Son arme, pense Géro, l'arme dont elle entend se servir désormais. Son orgueil, sa gloire, le sens qu'elle entend donner à sa vie! Elle a dû se démener pas mal, avoir à lutter avec d'incroyables difficultés de tous ordres, et techniques, et administratives, avant d'en arriver à cette réussite, complète. Pas besoin d'insister. Géro est assez au fait de ces questions et de ce que représente la mise en route d'un tel organisme pour qu'elle n'ait pas à se prévaloir de ce qu'elle a fait. Mais son silence n'en reste pas moins éloquent : trop assurée d'elle-même et que rien ne peut l'atteindre ou l'inquiéter.

Joue-t-elle? Est-elle sincère?... Pourquoi ajoute-t-elle — naïveté, cynisme — parlant comme une dactylo ou une ouvrière à ses pièces : « ... il faut bien faire quelque chose... gagner sa vie... »?

Le prend-elle pour un idiot?... pour un pion quelconque sur son échiquier? Mais il ne se laissera pas enchaîner. Bonne comédienne certes, et la tête près du bonnet, capable de jouer tous les rôles, et l'amoureuse, et la fille de l'homme célèbre : il est payé pour le savoir. Une fois suffit! Admirables ce musée, cette Fondation, mais ce n'est pas de ça qu'il s'agit. Là n'est pas la question. Géro n'est revenu que pour faire toute la lumière, et d'abord entre eux, les protagonistes, les premiers et les seuls responsables. Si elle se croit forte sur ses positions, il se sent tout aussi ferme sur les siennes. Il n'a pas répondu à son offre. Il reste debout près de la fenêtre, indifférent à cette flaque noirâtre qui s'élargit autour de ses pieds, solidement campé sur son bon droit et sur ce qui lui apparaît comme une défense de l'esprit, son coude appliquant contre sa hanche la précieuse sacoche.

— Vous savez ce que j'ai là?

Que peut-il perdre à le lui révéler? A-t-il jamais été entendu qu'il ne prendrait plus jamais la plume à l'avenir? Géro a donc lâché le morceau. Une vengeance calculée et qui vient à son heure. Une libération. Mais il le fait avec habileté, comme il l'entend, sans donner le nom de l'éditeur, ni le lieu, ni la date du rendez-vous. Il ne présente pas non plus la sortie du livre comme une action délibérée inscrite dans tout un système de preuves qui va entraîner fatalement une sensationnelle révision et le retournement de la critique et de l'opinion. Mais cette menace n'a pas à être précisée. L'adversaire est assez fine mouche pour avoir saisi déjà de quoi il retourne et quelles conséquences dramatiques, voire rocambolesques, va entraîner cette publication. Un écroulement! Le crépuscule d'un mythe! La seconde mort d'Atarasso! A la presse d'en faire ses manchettes et au public de s'en gausser.

En fait, Géro n'a même pas prononcé le nom de celui-ci. Et maintenant Sandra est au courant; elle sait pourquoi il a quitté New York, ce qu'il mijote, et quel genre d'ennemi elle vient d'accueillir chez elle. Les partisans acharnés de l'authenticité ont toujours nié que Géro ait jamais eu des contacts, même indirects, avec Atarasso ou avec quelqu'un de son entourage : en lui offrant de l'héberger ne vient-elle pas de leur infliger le plus incroyable démenti? S'en rendant compte tout à coup, va-t-elle le mettre à la porte? Pourra-t-elle nier qu'il ait franchi celle-ci, alors qu'on les a vus quitter ensemble la Fondation, traverser ensemble la ville?

Soudain il avait ressenti un grand froid, un frisson l'avait secoué. Depuis plusieurs jours il voyageait sous l'averse dans des vêtements qui n'arrivaient jamais à sécher; et là, essayant de comprendre d'où lui venait cette lassitude, quelle était la cause de ce tremblement, il s'apercevait qu'il n'avait pris aucune nourriture depuis qu'il avait réglé le prix de sa chambre le matin avant de quitter l'hôtel.

Sandra restait tournée vers le foyer, ses jambes ramenées sous elle, dans l'attitude d'un sage à qui l'on vient de lire des sourates et qui se livre à la méditation. Cet énorme chandail ne faisait que mieux suggérer le dessin des ses épaules et de son buste, une sorte d'élégance privée d'attributs, image que rendaient encore plus sensible ces grands murs vides, son inexplicable solitude au fond de ce quartier désert. Si elle se représentait à ce moment les inéluctables conséquences de cette affaire — et comment imaginer que celles-ci ne lui apparussent pas de la façon la plus nette? — elle en semblait d'avance extraordinairement détachée.

Ce silence risquait de durer, et parce que Géro ne pourrait plus dans une minute cacher son tremblement il lui fallait obtenir une réponse immédiate, savoir comment elle lréagissait.

— Et alors?

A quoi elle avait répondu :

— Vous avez mis du temps à vous décider!

Ces fièvres, on ne sait jamais pourquoi elles vous tombent dessus. A une autre époque de l'année, je me dirais c'est le palu, la malaria, et les heures iraient par trois ou par quatre, entre les crises et le délire. Tant de gens ici ont dû avoir affaire aux moustiques depuis que, fuyant Attila, Odoacre, les Hérules, les Ostrogoths, ces populations du golfe se sont installées sur les îles; tant de gens se sont fait piquer qui ne voulaient pas être empalés ou rôtis, qu'on en vient à se dire que, cherchant un lieu sûr, un refuge contre la destinée, l'homme n'a jamais fait que troquer une mort contre une autre, l'incendie contre la noyade, la mise en quartiers contre le garrot, la cirrhose du foie contre l'anophèle. Un mal lointain, une bizarre démangeaison du sang. Sur ces pâles étendues paludéennes, cette lente cachexie a certainement fait plus de victimes que toutes les défaites, que toutes les victoires de la République des mers. L'insecte en question a-t-il une part dans la décadence des empires, l'extinction des races dominantes, la décrépitude des plus grands esprits?... Ce sont là des problèmes que j'ai tout le temps d'agiter. Mais je ne crois pas que Venise soit pour rien dans ce qui m'arrive et que ce mal indiscret me donne aujourd'hui le droit de me ranger du côté des vaincus de Famagouste ou des vainqueurs de Lépante. Comme dans tant d'autres endroits, je n'ai fait ici que passer, et si j'ai rencontré mon vainqueur, ma bactérie, ce n'est pas du côté de Chioggia ou de Malamocco, non plus que sur ces terres à peine émergées, mais de façon plus certaine dans quelque Bactriane ou en longeant les eaux grasses de quelque delta. Mais il faudrait se priver de trop de choses : du lait que vous offrent les bergers des hauts plateaux, des nuits passées sous la tente dans des régions infestées de serpents, de trop de rivages, de trop de visages humains, de trop de plaisirs interdits. Le voyageur mourant de soif, qui donc l'empêchera de se jeter à plat ventre pour boire l'eau pourrie d'une mare? Combien de fois, marchant à la rencontre du soleil, cruellement déshydraté, ai-je repoussé ce conseil : « Ne buvez pas! » J'ai bu, et à toutes les sources; c'est bien la seule règle que j'aie su observer. Après tout, les conséquences auraient pu être pires. Peut-être y ai-je gagné cette âme cosmopolite, et de ne m'épouvanter de rien, et de ne me tenir à l'écart que du mépris et de la violence. Immortelle cette âme?... C'est bien le seul doute qui ne me soit jamais venu, bien que leur vieux christianisme me semble aussi mal en point, malgré ses cures de rajeunissement, que le culte rendu autrefois à César-Auguste. Vanités que tout cela! L'herbe continuera de pousser dans les prairies de l'Ouest!...

Longtemps à toute épreuve. Je ne rendais rien à la vie que le plaisir de la dépenser. Ce fameux incident m'aura donc, comme on dit, arrêté dans ma chute. Dommage qu'un si beau résultat n'ait rien produit de plus que le mensonge que je suis venu dénoncer. Y gagnerai-je quelque chose, quelque certitude qui m'aidera à franchir le pas au moment de ma mort? C'est peu probable. Depuis trois jours, peut-être quatre, toutes ces idées me tournent dans la tête, c'est là un des symptômes de la crise. Parmi toutes ces cogitations, une question plus directe : est-ce que je touche au but, cette fois? est-ce que je vais enfin déboucher sur quelque chose et me reconnaître?

Ce n'est pas la première fois que je me retrouve ainsi dans une chambre inconnue, couvert de sueur, agité de tremblements. J'ai l'impression de tourner sur moi-même, d'être projeté dans l'espace, et que je suis à moi seul une nébuleuse, un monde qui n'a pas encore commencé d'exister.

Où que cela se produise — la dernière fois c'était à Sparte — il y a toujours une main pour essuyer mon front, pour ramener sur moi la couverture, un visage dont je crois reconnaître les traits à la surface d'une eau calme. Et je pourrais dire aussi que le cadre est toujours le même, que c'est toujours dans la même chambre que cela a lieu. Soudain tout est terminé, et rien ne s'est passé. En fait, rien ne s'est passé. Un espace vide, un blanc dans la mémoire. Ces crises sont-elles plus fréquentes? Pourquoi la vie, qui a mis en moi cette force et cette joie de la dépenser, a-t-elle inscrit aussi cette faiblesse? Peut-être, comme Niki, n'ai-je plus un nombre suffisant de globules? Peut-être me faudra-t-il, comme elle, revenir là-bas, définitivement?... Les causes?... Les médecins pourraient me les dire. J'ai refusé de voir celui que Sandra a fait appeler le premier soir. Il est quand même revenu. « Vous avez de la chance, *caro*, que cela ne vous soit pas arrivé ailleurs, mais ici, dans une maison amie. » De la chance! Mais non, ce charmant garçon ne plaisantait pas; il m'a sorti cela le plus sérieusement du monde. Que faut-il comprendre quand un toubib vous dit que vous avez « de la chance »?... Je sais bien que ça n'a été qu'une alerte. On ne meurt plus à Venise. Ah! je deviens banal décidément.

Suis-je à Venise ? Venise existe-t-elle ? Questions qui ne me seraient jamais venues autrefois. J'ai l'impression de l'avoir déjà quittée. Trois jours : l'alerte a été plus brève qu'à Sparte. Peut-être ai-je été mieux soigné, ou bien sentais-je qu'il me restait peu de temps devant moi ?

Sandra ce matin en partant pour la Fondation — elle n'y est pas retournée depuis que je suis là — m'a demandé si je voulais l'accompagner. J'ai préféré rester, et au fond bien m'en a pris. Pendant que la femme qui vient chaque matin s'affairait à l'intérieur, j'en ai profité pour aller tourner autour du bassin, dans cet espace clos par des murs découpant un rectangle de ciel maussade. La pluie avait cessé ; il faisait même assez doux. Chaque fois qu'un bateau passait à proximité, accostait ou s'éloignait vers les îles, on entendait nettement le bruit des moteurs et des turbines, le remous de l'hélice.

Vers la fin de la matinée, plusieurs coups brefs et espacés ont retenti à la porte ; un code qui semblait désigner une main habituée à utiliser ainsi le heurtoir. Au bout d'un moment, le même indicatif a été répété ; je suis allé ouvrir et ai vu entrer un vieux monsieur à cheveux blancs qui s'est présenté aussitôt. J'ai déjà entendu son nom. Il a un poste à Berkeley. Il profite de son congé sabbatique pour travailler à la Fondation. Il s'exprimait en anglais avec un léger accent germanique. Il était au courant de mon « indisposition » et venait prendre de mes nouvelles — c'est le prétexte qu'il m'a donné pour justifier sa visite — et il en a profité pour me féliciter de mon rétablissement et de mon excellente forme. Je n'ai pu discerner l'ombre d'une arrière-pensée dans ses propos. Nous nous sommes assis sur les sièges de fonte et avons continué de bavarder. Il m'a demandé si j'avais connu Atarasso et a paru surpris de m'entendre répondre négativement. « Peut-être venez-vous en Europe pour la première fois ? » J'ai donné une réponse évasive, et il n'a pas insisté, pensant sans doute que j'arrivais tout droit du Middle West.

Notre conversation m'intéressait à un autre niveau. Sandra

avait bien motivé son absence pendant ces trois jours consécutifs en disant qu'elle avait chez elle un ami qui avait eu une brusque crise de paludisme, en tout cas une forte fièvre, mais sans fournir plus d'explications quant à moi. Mon honorable interlocuteur, plutôt que d'essayer d'en obtenir, semblait surtout désireux de me parler de lui-même et de ses travaux. Tous ces orientalistes forment une secte; je voyais nettement qu'il associait Sandra à ce réseau qui groupe des chercheurs dans toutes les parties du monde; qu'à ses yeux elle servait une sorte de culte et qu'en dehors de celui-ci il ne lui supposait aucune autre activité, aucune vie personnelle. Après tout, me suis-je dit, c'est possible qu'il en soit ainsi, bien que j'eusse du mal à le croire. Lui-même m'a longuement parlé de ses travaux à Sultantepe ainsi que d'un article publié par lui dans les *Anatolian Studies* relatif aux Inscriptions de Nabonide. Puis il est revenu à la question de la Fondation. J'en ai beaucoup appris sur son fonctionnement et ses ressources. L'installation du musée et de la photothèque a absorbé plus d'argent que prévu. Atarasso, a-t-il commencé à m'expliquer, n'était certainement pas aussi riche que des gens comme Schliemann ou Evans; sa passion d'acquérir des objets a bien failli le ruiner. Heureusement que sa fille s'est montrée aussi désintéressée.

Désintéressée?... Je lui ai fait répéter le mot. C'était bien le seul qui ne me serait jamais venu à l'esprit en pensant à elle. Le vieux monsieur a continué de pérorer, s'étonnant que je ne sois pas au courant de ce que tout le monde sait et raconte, ici à Venise et ailleurs : à savoir que « sans les droits », la Fondation serait en déficit et devrait recourir à une subvention de l'État italien ou quêter des subsides en Amérique, laquelle d'ailleurs ne manquerait pas...

— Quels droits?

— Mais le livre voyons... vous savez bien... Sandra Atarasso a tout abandonné de ce qui pourrait lui revenir là-dessus... pour le présent et pour l'avenir.

Une sirène de bateau l'a interrompu un moment.

— N'est-ce pas là quelque chose d'extraordinaire? Et que vous qui êtes un ami, vous qui habitez chez elle n'en sachiez rien... quelle discrétion de sa part!

Il a changé de ton : « Vous l'avez lu, je suppose... ce livre? » J'ai répondu par la négative, ce qui a paru le mettre à l'aise et l'engager à me livrer sur ce point le fond de sa pensée : « Je ne vous dirai pas quelle opinion j'en puis avoir... ceci n'est pas du tout mon domaine. Mais l'essentiel, entre nous, n'est-il pas que la Fondation continue? »

L'essentiel — j'ai repensé à ce mot après son départ — chacun le voit à sa façon, le situe où son intérêt est de le situer.

Je pourrais me croire au cœur de l'énigme; en fait, je comprends de moins en moins. Je continue d'aller d'une pièce à l'autre, mais rien de ce que j'ai là sous les yeux ne m'aide à trouver la solution. Quelques coffres, des meubles bas, très peu de livres, plus de cendriers que d'objets... une absence complète d'indices. Des murs vides, des surfaces nettes... et pourtant un lieu réel et même confortable où il doit être agréable de vivre, d'inscrire une présence. Je cherche cette présence. Une odeur de laque et de santal, c'est tout ce que révèle la chambre de Sandra. Tout est trop simple, et dans le décor qu'elle a choisi, et dans le travail qu'elle s'est donné — passionnant, je veux bien. Trop simple aussi son attitude. Je ne parais pas la gêner. Elle me traite comme un frère avec qui elle n'aurait jamais vécu et qui arriverait du bout du monde, ou comme un enfant qui vient d'avoir les oreillons et qui a besoin de calme. J'ai beau faire, j'ai beau retourner le problème dans tous les sens, je n'arrive pas à la situer à sa vraie place, dans les frontières de l'infamie et du mensonge.

Soudain, elle est là devant moi et secoue ses cheveux pour les libérer après avoir enlevé le carré de soie qu'elle avait noué sur sa tête. Elle ne semble pas s'étonner de me retrouver dans sa chambre et me demande comment j'ai passé la matinée. Je lui dis que quelqu'un est venu. « Ah! Helmuth » fait-elle en riant, et sans marquer d'hésitation. Est-il le seul à franchir cette porte? « Helmuth! » Ce nom a l'air de lui plaire, elle le répète avec plaisir. Grand Dieu! pourquoi est-elle si jeune, si intacte, si indifférente à cette menace qui va bientôt tout emporter? Pourquoi y a-t-il entre nous toutes ces affreuses complications en perspective?... Mais elle ne me dit pas plus de choses au sujet de ce visiteur matinal qui vient de me chanter ses louanges qu'elle ne m'en disait autrefois au sujet d'Andréas Italo. Encore un qu'elle a dû fourrer dans son sac. Au moins peut-elle parler avec lui de ce qui l'intéresse, de ce qui a toujours été sa vie... Une idée idiote me traverse l'esprit : si je restais, s'il était possible que je reste, tout recommencerait : nous serions trois à nouveau.

Une nuit singulièrement agitée. Je n'arrivais pas à trouver le sommeil, et comme il n'y a pas de portes de séparation, j'avais l'impression de l'entendre respirer chaque fois qu'à la suite d'un brusque soubresaut elle vire sur elle-même et enfouit sa tête dans l'oreiller. J'ai passé mon temps à éteindre et à rallumer la boule lumineuse à mon chevet. Qu'est-ce que je foutais là ? Pourquoi n'étais-je pas déjà reparti ? L'envie de monter chez elle et de lui jeter au visage les choses que j'aurais dû lui dire le premier jour. Dans un coin de la pièce ma sacoche, toujours au même endroit, mais piteuse, minable, déplacée. J'éprouvais de la gêne, une sorte de rancune contre elle; rien d'autre n'accrochait mon regard. Finalement, cela est devenu si désagréable que je me suis levé pour la dissimuler sous des coussins.

Quand je me suis réveillé, Sandra était déjà partie. Un peu plus tard je suis sorti à mon tour, et presque aussitôt j'ai débouché sur le quai. Les cyprès de San Michele se détachaient dans la brume, mais aucun convoi funéraire n'était en vue. J'ai eu du mal à retrouver l'impasse. Sandra était déjà rentrée. Je lui ai annoncé mon intention de partir le soir même.

— Il y a des choses qui ne peuvent attendre, ai-je ajouté.

Mais à peine avais-je dit cela que je me suis rendu compte combien cette phrase était ridicule dans ma bouche, combien ce rôle me convenait peu.

— Bien sûr, s'est-elle contentée de répondre.

Je n'avais aucun préparatif à faire. C'est ce qui manque

à tous mes départs : je n'ai jamais à me décider, à faire un tri entre ce que j'emporte et ce que je laisse. Peut-être ne suis-je jamais réellement parti? Peut-être Niki, elle non plus, n'a-t-elle jamais quitté Nashville ?

Un peu plus tard, alors que nous déjeunions, Sandra :

— Je m'étais arrangée pour me rendre libre... nous pourrions aller du côté de Torcello, ou plus loin.... dans une autre île... on a le choix...

Je me suis mis à calculer le temps qui me restait avant de rencontrer Arditi, compte tenu du trajet. Encore deux jours pleins. Je pouvais donc repartir le lendemain, à condi tion de me mettre en route assez tôt.

— Soit!

— Notre dernière promenade! Tout vient à son heure, a-t-elle ajouté en riant.

— Et même la vérité.

J'étais si certain qu'elle avait perdu et qu'elle le savait; si certain que c'était elle maintenant qui allait être broyée par toute cette machination inventée pour faire aboutir son projet, que je n'ai pu m'empêcher de mettre dans cette platitude un accent de triomphe.

L'avant du hors-bord se relevait sur un espace qui lui semblait soudain illimité. Des paquets d'eau le frappaient au visage quand il recommençait à virer entre les balises comme entre des piquets au cours d'une descente en skis. Il avait l'impression de ricocher sur cette surface, sans poids, emporté par un élan qui n'était pas le sien et qu'il ne faisait qu'infléchir dans une direction ou une autre. Surface à peine marquée par ces passages, ouverte et refermée aussitôt, plus dense par la proximité des fonds et cette absence de reflets, traversée de flottements d'algues. Il voyageait à nouveau, mais au-delà de toute mémoire, de son existence même, et chaque fois que virant brusquement il entendait ce choc profond contre la coque, rencontrant la vague qu'il avait soulevée, il avait l'impression de sauter par-dessus son propre sillage.

Ils retrouvaient des rires, une joie neuve, comme s'ils venaient de se rencontrer sur le quai et qu'ayant volé un canot amarré là ils avaient filé droit devant eux sans savoir si, lorsque la nuit viendrait, ils auraient assez de carburant pour rentrer. Peut-être, en dehors de cette force qui les emportait, qui leur donnait la sensation de voler sur ce plan d'eau, ne connaissaient-ils rien d'eux-mêmes. Peut-être, à ses côtés, n'était-elle qu'un profil dans le vent, et lui, pour elle, un barreur assez expérimenté pour ne pas laisser se retourner ce genre d'embarcation trop rapide. Entre eux cette fameuse glace dans laquelle ils avaient reconnu leurs reflets venait de se briser, et ils se retrouvaient dans leurs gestes, dans leurs mouvements, hors de toute contrainte, plus proches qu'ils ne l'avaient jamais été. Peut-être n'auraient-ils jamais plus à partager que le plaisir, l'excitation que leur procurait cet étrange gymkhana lacustre; mais cette fuite, ce mouvement lisse les rendaient présents l'un à l'autre dans un monde qui avait effacé ses confins.

Nous avons quand même réussi à immobiliser le canot dans une sorte de bras mort et à prendre pied sur du sable et la vase en nous accrochant aux herbes. Une étroite bande de terre affleurant à peine au-dessus de l'eau. Où nous étions, nous ne le savions ni l'un ni l'autre, et pas plus si nous serions capables, de retrouver le chenal et si, cherchant notre direction, nous ne tomberions pas en panne au retour. On n'imagine pas un coin plus perdu, plus providentiellement inhospitalier. Pourtant, entre ces roseaux, un chemin semblait tracé. Et comme il ne l'était que pour nous, il nous semblait nécessaire de le suivre. La lumière commençait à décroître. Sans doute eût-il mieux valu ne pas s'attarder. Mais c'était une sensation merveilleuse, après nos prouesses et nos pointes de vitesse sur le hors-bord, de nous retrouver sur ce sol à peine réel, à peine émergé, et comme si nous marchions sur les flots. D'ailleurs ciel et eau, l'œil ne pouvait rien découvrir d'autre. J'avais passé mon bras autour de l'épaule de Sandra, mais soudain ce chemin ouvert par nous sur la lagune est devenu si étroit que nous ne pouvions plus aller de front. Je lui ai demandé si elle voulait continuer; je voyais qu'elle éprouvait des difficultés à marcher; elle m'a dit qu'elle m'attendrait là mais qu'elle voulait savoir jusqu'où l'on pouvait aller ainsi et comment cette langue de terre à peine formée se terminait.

J'ai donc continué seul, et l'idée qu'elle pouvait manigancer quelque projet empoisonné qui lui permettrait de se débarrasser de moi : partir avec le canot, m'abandonner là, dans un endroit où on ne risquait pas de me retrouver avant des semaines, peut-être pas avant le printemps suivant... cette idée ne m'a même pas traversé l'esprit. Peut-être avait-elle toujours été ma destinée et commençais-je seulement à m'en apercevoir.

Il m'est souvent arrivé de continuer ainsi mon chemin, non pour aller quelque part, mais uniquement « pour voir où la route aboutit », alors que de toute évidence, elle ne peut aboutir qu'à une autre, à un embranchement, à un point quelconque, d'où partent d'autres routes. Était-ce enfantillage de la part de Sandra que de m'envoyer par là, ou bien voulait-elle me suggérer que le chemin se termine là où le voyageur s'arrête pour ne plus repartir, que les choses commencent en nous et que c'est en nous qu'elles finissent.

Mais je ne regrette pas d'être allé jusqu'à ce point extrême. Ce sentier des eaux était si étroit qu'il m'eût été impossible de m'écarter d'un pas sur ma droite ou sur ma gauche; il eût suffi d'un orage élevant le niveau de la lagune pour le recouvrir tout à fait.

Mes semelles s'enfonçaient profondément dans ce sol spongieux, mais j'ai constaté que ces empreintes disparaissaient presque aussitôt. L'eau s'infiltrait au centre de la cavité, comme aspirée à travers les bords dessinant encore la forme du pied, puis, peu à peu, ceux-ci se défaisaient et il n'y avait plus qu'une petite flaque ronde et rien d'autre qu'une bulle venant crever à la surface.

Je suis donc allé jusqu'au bout, et là il n'y avait rien que quelques roseaux piqués dans la vase. Rien sinon moi pour le constater. J'avais cheminé ainsi plus de temps que je n'aurais pu le prévoir. La nuit venait. Je suis revenu sur mes pas. Le retour m'a semblé plus long. Je m'étonnais de ne pas apercevoir Sandra. Et sans doute serais-je passé devant elle sans la voir si elle n'eût dirigé sur elle le faisceau lumineux d'une petite lampe de poche, éclairant ainsi le bas de son visage. Je l'ai reconnue aussitôt : il y avait longtemps que je portais en moi cette image.

De toute façon, ma décision était prise. Je venais de sortir du labyrinthe.

Je pourrais attendre le jour, attendre qu'elle soit réveillée, mais pourquoi?... J'avais ce geste à faire et c'est bien celui qui m'aura le moins coûté. Comme dans l'amour les gestes sont plus purs que les paroles. Nous n'avons pas parlé, mais ce silence scellait notre accord. Je garderai cette image : nos mains approchées de la flamme et nos ombres derrière nous réunies dans un vivace entrelacs mimant quelque chose qui n'a pas eu lieu. Cette chaleur nous traversait et nous nous félicitions, après avoir échappé à ces maremmes, à la panne sèche, à l'embourbement, d'avoir retrouvé ce chemin tracé par des fanaux et qui nous ramenait à quai. Peut-être avons-nous bu plus que de raison, comme cela ne m'est arrivé qu'une fois, mais cette fois ensemble, parce que nous avions eu froid au retour et que nous étions heureux de nous retrouver au sec dans ces murs et de ne pas nous y sentir prisonniers.

Je garderai cette chaleur vivante et le crépitement joyeux de cette flamme. Cendres vous m'aurez obligé à renaître, à effacer en moi cette obscure tentation de durer. J'ai retiré le manuscrit de ma sacoche, je le tiens un instant et je salue la chance qui m'a été donnée. Nous vivons dans un monde où il faut que certaines choses soient faites, soient dites, exprimées, révélées par quelques-uns — pas nécessairement les plus doués, ni ceux qui paraissaient les mieux désignés — et ceux-là n'échappent pas à cette nécessité d'être les artisans obscurs de ce qui, sans eux, ne pourrait exister. Mais qui peut croire qu'il parle en son nom ? Qui peut douter que ses gestes, ses paroles, ne lui ont pas été dictés et qu'il n'a fait que saisir une occasion qui lui était offerte ?

Pour moi, je sais bien ce qu'elle aura été et que rien ne me désignait pour cela. Je me dis en ce moment, en déposant ces feuillets sur cette tablette où Sandra les trouvera demain matin en partant pour la Fondation, je me dis qu'il n'y a pas d'autre justification à ce besoin de créer que d'ajouter à ce qui est quelque forme de beauté inconnue, mais bientôt aussi indétachable de la création tout entière que le bruit du vent dans les arbres ou le ressac des vagues sur une côte sauvage.

A chacun sa croyance, et la mienne est celle-ci : on n'accède pas à l'être en passant par les mots. Je ne transformerai pas en matière vile ce qui appartient à l'esprit. Si l'aventure continue quelque part, le mérite d'avoir été habité par ces mots, d'avoir pu délivrer ce message, ce mérite-là ne me sera pas retiré, même si ici la gloire en revient à un autre.

Cet autre, c'est à lui que je dois de pouvoir donner ce qui ne m'appartient qu'en partie. Comment entrerais-je dans ce ridicule débat ? Je ne me détourne pas de moi-même, je ne fais que revenir à ce qui m'est propre. Je ne renie pas non plus cette œuvre — qui sera bientôt oubliée — mais je veux qu'elle soit, si possible, un lieu de vérité et non le centre d'un débat qui ne serait jamais clos, une occasion de plus de grotesques disputes. Ainsi, ce que je ne dois qu'à ce mystérieux privilège, au jeu infini des possibles et de toutes les chances qui m'ont accompagné, cela gardera en moi cette qualité augurale, cette fraîcheur de jeunesse, de vérité jamais livrée, jamais trahie par la tentation d'accroître ma position, de voir mon nom écrit en grandes lettres, de parler pour les autres, alors qu'il n'est question que de tendre l'oreille et d'écouter.

Et maintenant je n'ai plus rien à faire ici. Cette fois c'est le tour de Sandra de ne pas se réveiller, de ne pas m'entendre partir. Et le manuscrit, c'est moi qui le laisse. La lampe éclaire la couverture et détache le titre : *L'Immémorial* — un titre qui convient tout à fait aux circonstances que je viens de dire. Ils le conserveront sans doute; pourquoi le changeraient-ils ?

La porte s'est refermée. Rien ne me presse, personne ne m'attend; mais quand il fera jour je serai déjà loin d'ici. A mon épaule, ma vieille et fidèle sacoche. C'est un mince bagage et il ne sera pas trop lourd pour le chemin qui me reste à parcourir... pour arriver enfin à cette chambre où tout commence et où tout finit.

404

71.674 X P-128

IMP. FIRMIN-DIDOT, PARIS-MESNIL-IVRY, D.L. 4e TR. 1970 No 2641-4 (6366)